觀世音菩薩四十二手眞言

다길 김경호

항차 자세히 이 경 들어 남으로 하여 듣게 하거나 스스로 수지커나 남으로 하여 수지

하게 하거나 스스로 사경을 하기나 남으로 하여금 사경하도록 하거나 또는 꽃과 향과

영락·당번·증개·소등 따위로 이 경전에 공양함일까보냐.

이 사람의 공덕은 무량·무변해 능히 일체종지 낳게 되리라.

〈묘법연화경 제오권 분별공덕품〉

다길 김경호 쓴 전통사경 4

관세음보살 42수진언

제1부

대한불교조계종
제19교구본사 智異山大華嚴寺

발 간 사

　　30여년 前 출가하기 위해 華嚴도량에 들어서면서 모든 것이 낯설었던 시간이 생각납니다. 조석예불마다 覺皇殿 부처님의 장엄한 모습에서 出家本分事를 되돌아보았다면 언제나 편안하게 다가오던 보제루의 華藏이라는 두 글자는 華嚴行者의 어려움을 견뎌낸 어머니의 품과도 같은 추억이었습니다. 그리고 기억에 남은 또 하나의 장면은 도량 한 구석에 수북하게 쌓여서 잊혀진 歷史로만 존재했던 華嚴石經의 破片들이었습니다. 언젠가는 좋은 인연들의 願力을 하나로 모아 華藏世上의 근본도량으로 丈六殿 華嚴石經을 復元하리라는 꿈같은 誓願을 세워본 시절이었습니다.

　　경자년 새해를 맞아 신라백지묵서화엄경과 화엄석경의 오랜 사경 전통이 살아있는 華嚴寺에서 그 誓願의 첫걸음으로 傳統寫經院을 개원하면서 국내 최고의 寫經法師이신 김경호 선생님을 모시고 사경강좌를 개설하게 된 것은 문수보살이 선재동자에게 맺어준 善根因緣功德이라 생각합니다. 寫經은 단순하게 부처님의 말씀을 글자로 옮겨 쓰는 일이 아니라 부처님의 삶과 사상을 우리의 몸과 마음으로 체화하는 지극한 祈禱로서 자기 修行이자 또 다른 成佛의 길입니다. 寫經行者들이 한 마음으로 부처님의 法音을 담고자 하는 誓願을 붓 끝에 깊이 새겨서 많은 衆生들의 마음속에 살아있는 佛性을 보여준다면 그것이 바로 사경수행의 正法眼藏이라 할 수 있을 것입니다. 나아가 華嚴世上을 장엄하는 無心한 그 붓 끝에서 마음·부처·중생이 서로 共感하고 共鳴하는 慈悲喜捨의 墨香이 온 세상으로 퍼져나갈 것임을 믿어 의심치 않습니다.

　　이 좋은 강좌를 위하여 직접 체본을 바탕으로 훌륭한 사경책자 『華藏』을 제작해주신 김경호 선생님과 화엄선재불교연구소 실무자들에게 감사의 말씀을 드리며 올 한해 화엄원에서 진행되는 사경강좌가 衆生들의 걸림 없는 佛心을 깨우쳐 주는 無量功德으로 원만하게 회향되기를 부처님 전에 다시 한번 간절히 기원합니다. 저 자신부터 올 한해는 신라백지묵서화엄경을 사경하신 연기스님의 마음이 되어 각황전 부처님 전에 두 손 모아 사경발원문을 올립니다.

我今誓願盡未来　　所成經典不爛壞
假使三灾破大千　　此經与空不散破
若有衆生於此經　　見佛聞經敬舍利
發菩提心不退轉　　修普賢因速成佛

내가 사경한 이 경전이 오래도록 전승되기를 일념으로 서원하면서
만일 큰 재난으로 삼천대천세계가 부서진다 해도
이 사경은 허공과도 같아서 훼손되지 말지어다
그래서 모든 중생들이 이 경전을 의지하여
부처님을 뵈옵고, 법문을 들으며, 사리를 받들어 모시고,
불퇴전의 자세로 보리심을 내어서
보현보살 행원으로 속히 성불하기를 기원하옵니다

佛紀 2564(2020)年　庚子年　元旦
대한불교조계종 제19교구본사 화엄사주지 草岩 德門 합장

〈자주색지와 금니의 상징성〉에 대하여

* 자주색지는 금·은자 장엄경 사경의 바탕지로 처음 사용된 염색지이다. 자주색은 가장 이상적인 색이자 위엄을 나타내는 색이며 가장 고귀한 색으로 인식되어 예로부터 동서양을 막론하고 최상의 색으로 사용되었다. 태양의 색으로 인식되어 왕권을 상징하였으며 권력과 존귀를 상징하는 색이었다. 그리하여 고대 페르시아에서 왕의 복색, 헤브루의 대사교大司敎와 그리스의 신들의 복색으로 사용되었고, 초기 크리스트교의 성직자들에게 신성함과 고귀한 색으로 여겨져 이들이 자주색 옷을 입음으로써 신을 대행하는 신인神人 결합의 대행자만이 취할 수 있었던 색이었다. 중국에서도 가장 고귀한 색으로 여겨져 신선이나 제왕의 주거지를 상징하는 색으로 사용되었다. 그리하여 황제가 사는 궁궐을 자금성, 천자가 입는 옷을 자의紫衣, 신선이 사는 동굴을 자궐紫闕, 천제天帝가 거치히는 별을 자미성紫微星이라 하였고 우리나라에서도 가락국의 수로왕 신화를 비롯한 박혁거세의 신화 등에서부터 자주색의 상서로움이 강조되기 시작하여 고려시대까지 고귀한 신분을 나타내는 색으로 중요시 되었고 조선시대에도 당상관의 조복朝服으로 사용되었으며 대궐을 제외한 곳에서의 사용이 금지된 금색禁色이었다.

불교에서도 가장 이상적인 색이자 상서로운 색으로 여겨져 경전에서 불보살의 몸이 자마금색紫磨金色으로 빛나는 것으로 묘사하고 극락세계를 자운紫雲이 짙게 드리워진 것으로 묘사하고 있음을 통해서도 가장 상서로운 색으로 여겼음을 알 수 있다.

현존하는 우리나라의 가장 이른 시기의 사경인 754년-755년 사성된 국보 제196호 신라 백지묵서〈대방광불화엄경〉의 표지화와 변상도는 금니와 은니로 제작되었는데 이 사경의 바탕지로 자주색지가 사용되었음을 통해 장엄경 사경에서 가장 일찍 사용된 염색지였음을 확인할 수 있다.

장엄경 사경에서 사용하는 金은 영원히 변하지 않고 썩지 않기 때문에 영원불멸을 상징한다. 이러한 금의 속성을 따라 부처님 진리의 말씀을 서사한 법신사리, 즉 사경이 영구히 변치 말고 찬란히 고귀한 빛을 발하라는 의미를 지닌다. 또한 가장 귀중한 것으로 부처님께 공양한다는 의미를 지니는데, 금이 권위와 부귀의 상징이자 신의 영광에 대한 표현으로 일찍부터 사랑받아왔던 데 기인한다. 그리하여 법왕法王의 모습으로 불상을 황금으로 장엄함과 같이 법신사리인 경전을 장엄함을 의미한다. 그리고 금빛은 황색으로 오행사상에 입각하면 만물의 근본이 되고 토土가 되며 방위로는 중앙에 해당한다. 즉 부처님 진리의 법이 이 세상 모든 가르침의 중심이 됨을 상징한다. 이렇게 금자사경은 부처님의 진리가 만법의 중심이자 천하의 근본이 되는 진리임을 상징한다.

따라서 자주색지에 금니로 사경을 함은 가장 고귀한 재료로 부처님께 공양함과 동시에 부처님의 진리의 말씀을 거룩하게 장엄하는 가장 성스러운 수행임을 상징한다.

〈관세음보살 42수 진언〉에 대하여

* 관세음보살은 세상(世) 모든 중생들의 괴로워하는 소리(音)를 다 들으시고, 그러한 고통의 근원을 살피시어(觀), 고통으로부터 구제하여 주시는 자비를 상징하는 보살로서 우리나라에서 일찍부터 신앙의 대상이 되어 온 대표적인 보살이다.

42手는 삼천대천세계의 상징적 표현의 하나이다. 관세음보살의 다른 명칭인 '千手千眼觀世音菩薩'은 '천 개의 눈으로 중생들의 고통을 살피시고 천 개의 손으로 그 고통을 어루만져 치유해 준다'는 의미이다. 42수는 이를 압축하여 표현한 것이다. 불교에서는 세계를 25有로 분류하는데, 관세음보살의 42개 손 중 본래의 손 2개를 뺀 방편의 손 40개를 여기에 곱하면 1,000이라는 숫자가 된다. 즉 관세음보살의 42수는 천수천안을 압축 표현한 것이다. 여기에 제시되는 手印은 관세음보살의 공덕을 상징적으로 표현한 손의 모양이고 보살이 손에 쥐고 있는 持物은 진언에 해당하는 내용으로 그에 따른 각각의 성격을 상징한다.

그리고 진언은 주문과 함께 기본적으로 '언어 이전의 표현이나 말'을 뜻하며 '불보살의 德性 내지 別名, 그 가르침의 의미까지를 포함하고 있는 비밀스런 어구'이다. 그렇기 때문에 〈관세음보살42수진언〉을 독송하거나 사경을 할 때에는 관세음보살의 행적에 대한 회상뿐 아니라 가르침과의 직접적인 교감을 불러 일으켜 자비심의 근원이 되는 신령스런 힘과의 직접적 만남을 가능케 해 준다는 의미를 지닌다.

〈관세음보살42수진언〉은 고해 속 중생들의 근기와 고통에 따른 발원에 맞게 각각의 내용을 구분하였기 때문에 중생들이 각자 처한 상황에 가장 합당한 진언을 선택하여 염송, 사경을 할 수 있게 되어 있다.

不空 譯本에서는 〈신묘장구대다라니〉 뒤에 41개의 手呪에 대한 설명을 해 놓았다. 수주의 眞言句는 불공不空 번역의 〈千手千眼觀世音菩薩大悲心陀羅尼〉의 것인데 우리나라 전래의 목판본 『五大眞言』과 『畵千手・四十二手眞言』에는 42번째로 〈摠攝千臂手眞言〉이 수록되어 있어서 '42手呪'라 명명되고 있다.

* 본 〈관세음보살42수진언〉 작품의 한글 독음 표기는 『五大眞言』과 『畵千手・四十二手眞言』을 기본으로 하였고, 수인은 보국출판사의 『관세음보살보문품』에 수록되어 있던 도상을 기본으로 하였으며, 관세음보살의 도상은 『한국불화도본−관세음 그 모습』 출초본을 기본으로 하였음을 밝혀두면서 아름다운 수인을 출초한 보국출판사와 병진스님께 깊이 감사드린다.

〈관세음보살42수진언〉 전체 50.0cm / 1868.0cm (41.0cm / 29.5cm × 46) 자지, 금분, 은분, 녹교, 명반

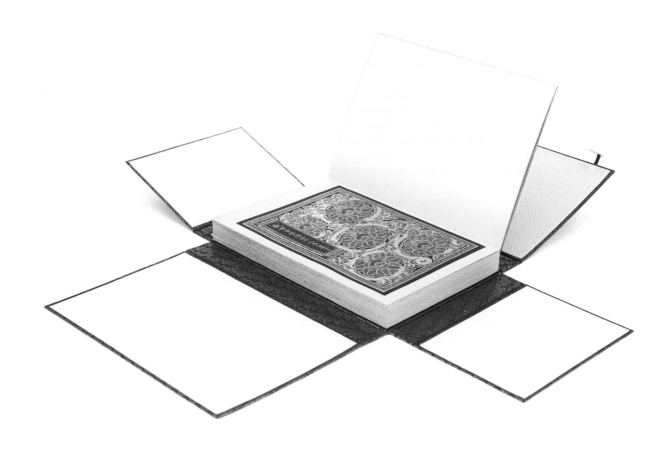

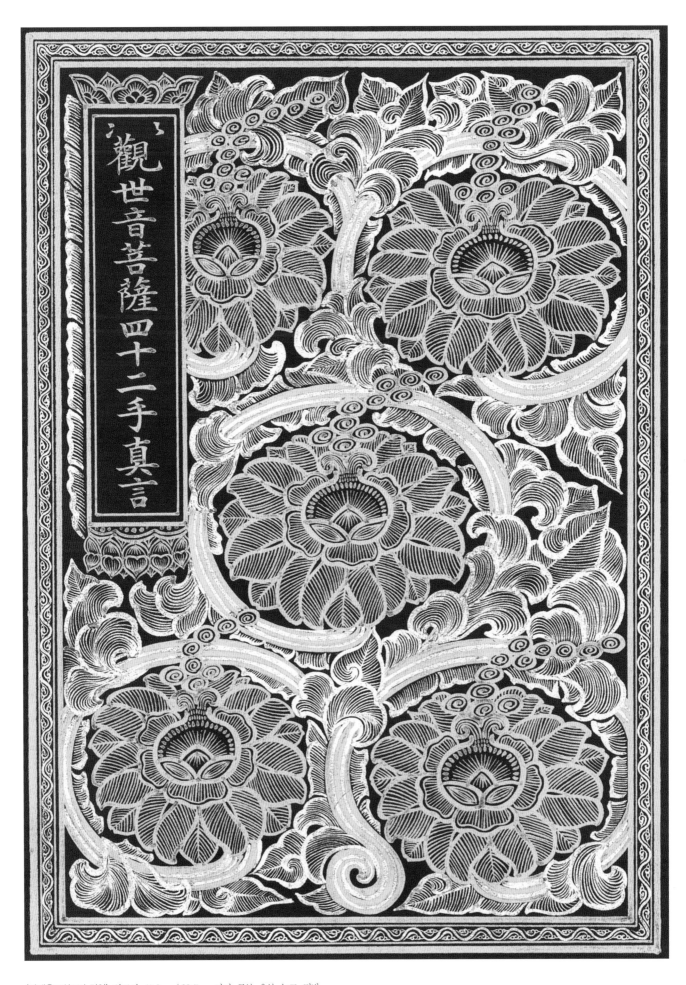

觀世音菩薩四十二手眞言

〈관세음보살42수진언〉 앞표지 41.0cm / 29.5cm 자지, 금분, 은분, 녹교, 명반

10

〈관세음보살42수진언〉 사성기난 장엄

〈관세음보살42수진언〉　관세음보살도　① 결계 장엄 : 꽃으로 장엄하였다.(불보살 설법 회상의 산화를 의미)　② 변상도를 대신하여 이 경전의 주존인 관세음보살을 모셨다.

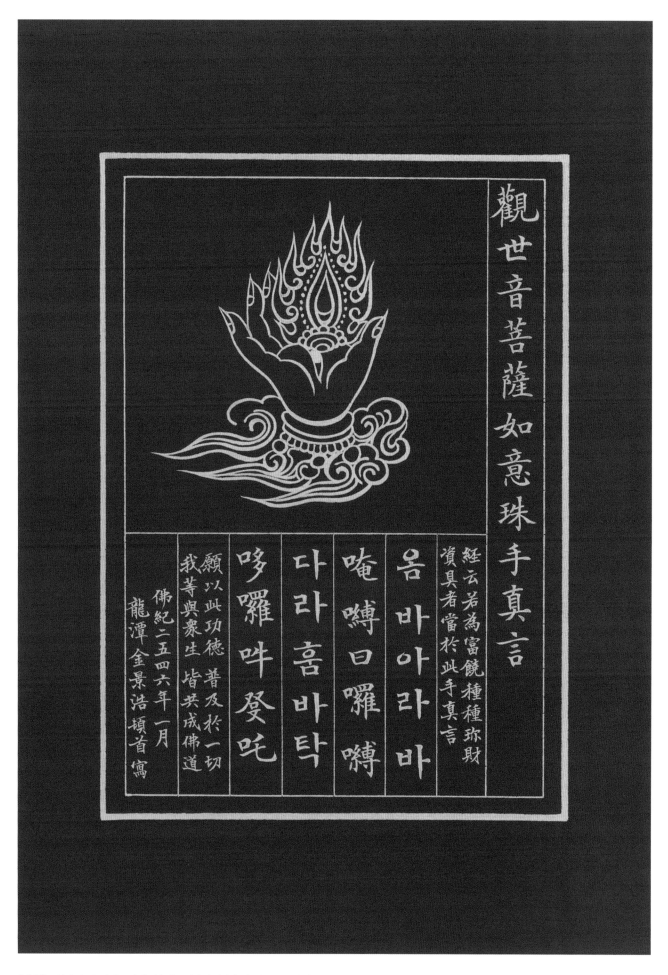

観世音菩薩如意珠手眞言

經云若爲富饒種種珎財
資具者當於此手眞言

옴 바아라 바

唵嚩日囉嚩

다라 훔 바탁

哆囉吽發吒

願以此功德 普及於一切
我等與衆生 皆共成佛道

佛紀二五四六年一月
龍潭金景浩頓首寫

〈관세음보살여의주수진언〉 만약 부유하고 갖가지 진귀한 재물을 갖추고자 하거든 이 진언에 의지하라 옴 바아라 바다라 훔 바탁

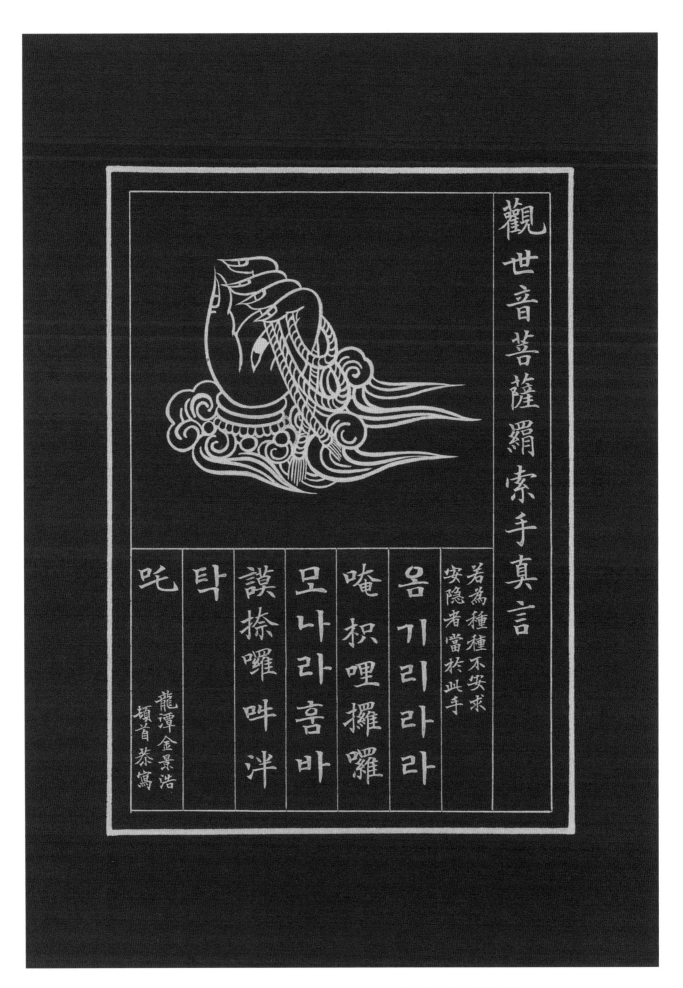

觀世音菩薩羂索手真言

若爲種種不安求
安隱者當於此手

옴 기리라라

唵 枳哩攞囉

모나라 훔바

謨捺囉 吘泮

탁

吒

龍潭 金景浩
頓首恭寫

〈관세음보살견삭수진언〉　갓가지 불안을 물리치고 편안과 고요를 얻고자 하거든 이 진언에 의지하라　옴 기리라라 모나라 훔 바탁

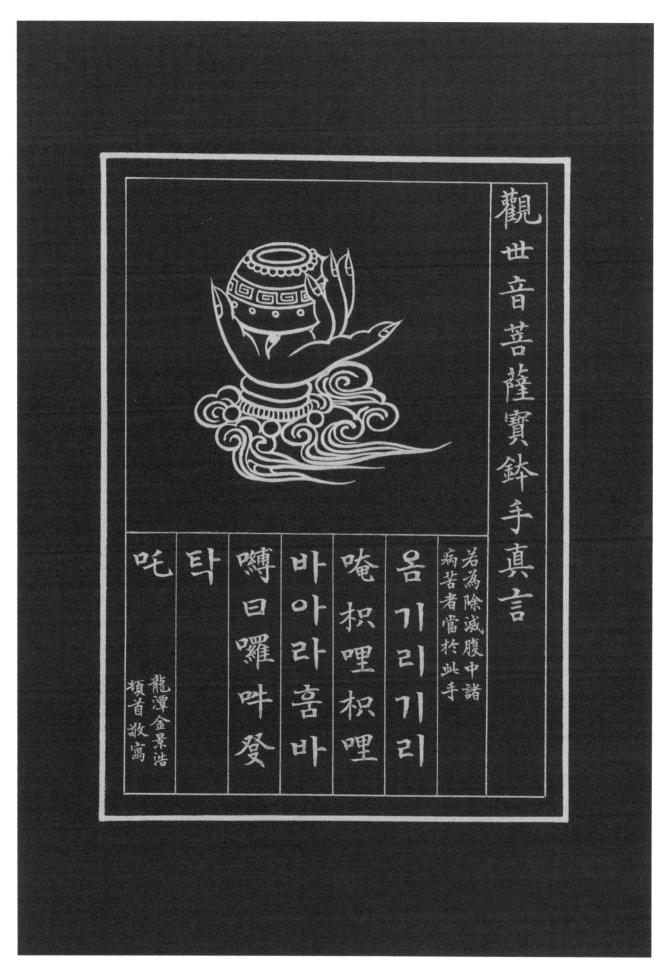

觀世音菩薩寶鉢手眞言

若為除滅腹中諸
病苦者當於此手

옴 기리기리

唵 枳哩枳哩

바아라 훔 바

囀 阿羅 吽 泮

縛 日 囉 吽 癹

탁

吒

龍潭 金景浩
頓首 敬寫

〈관세음보살보발수진언〉 속병으로 고통 받는 자가 고통을 여의고자 하거든 이 진언에 의지하라   옴 기리기리 바아라 훔 바탁

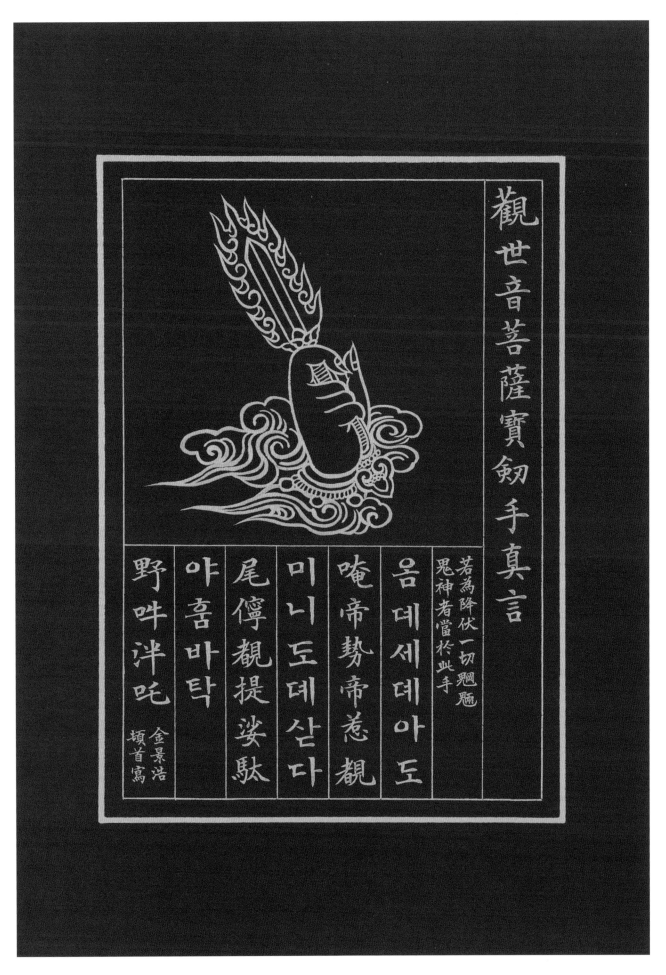

〈관세음보살보검수진언〉 모든 도깨비와 귀신들의 항복을 받고자 하거든 이 진언에 의지하라   옴 데세데아 도미니 도데 삼다야 훔 바탁

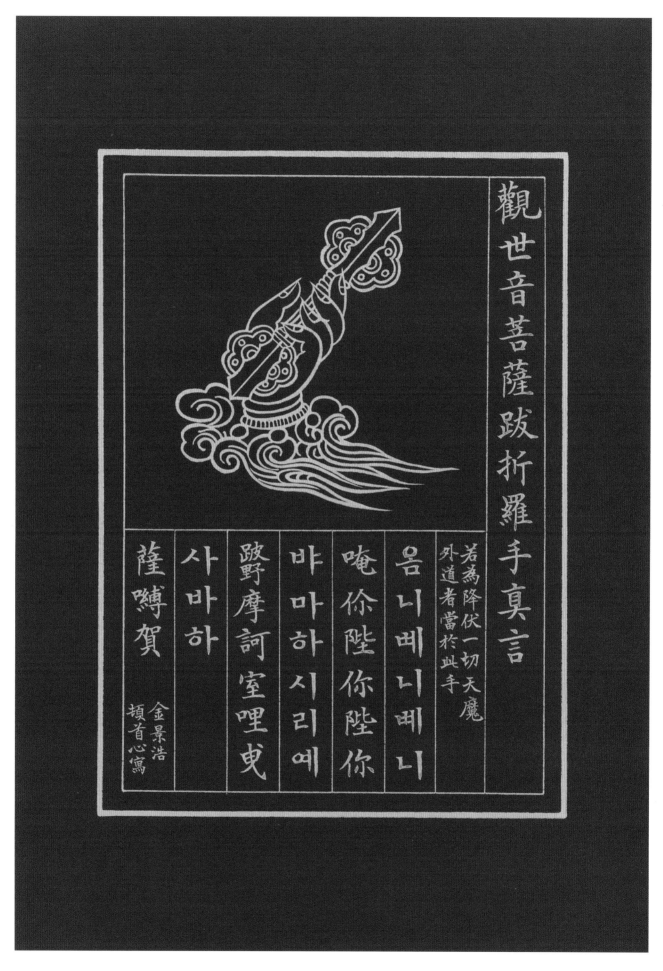

觀世音菩薩跋折羅手眞言

若爲降伏一切天魔
外道者當於此手

음 니베 니베 니

唵 伱陛 伱陛 伱

바 마 하 시 리 예

跋野摩訶室哩曳

사바하

薩嚩賀

金景浩
頓首心寫

〈관세음보살발절라수진언〉 모든 천상의 마구니와 외도의 항복을 받고자 하거든 이 진언에 의지하라   옴 니베 니베 니뱌 마하 시리예 사바하

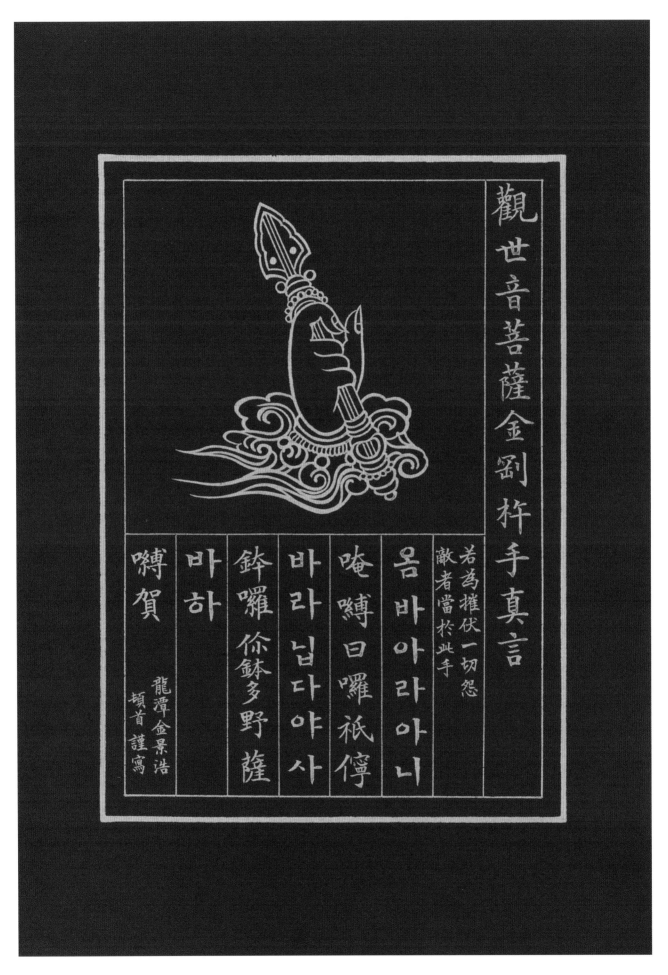

觀世音菩薩金剛杵手眞言

若爲摧伏一切怨
敵者當於此手

옴 바아라 아니

唵嚩日囉祇儜

바라닙다야사

鉢囉你鉢多野薩

바하

摩訶

嚩賀

龍潭金景浩
頓首謹寫

〈관세음보살금강저수진언〉 모든 원한을 가진 적의 항복을 속히 받고자 하거든 이 진언에 의지하라   옴 바아라 아니 바라 닙다야 사바하

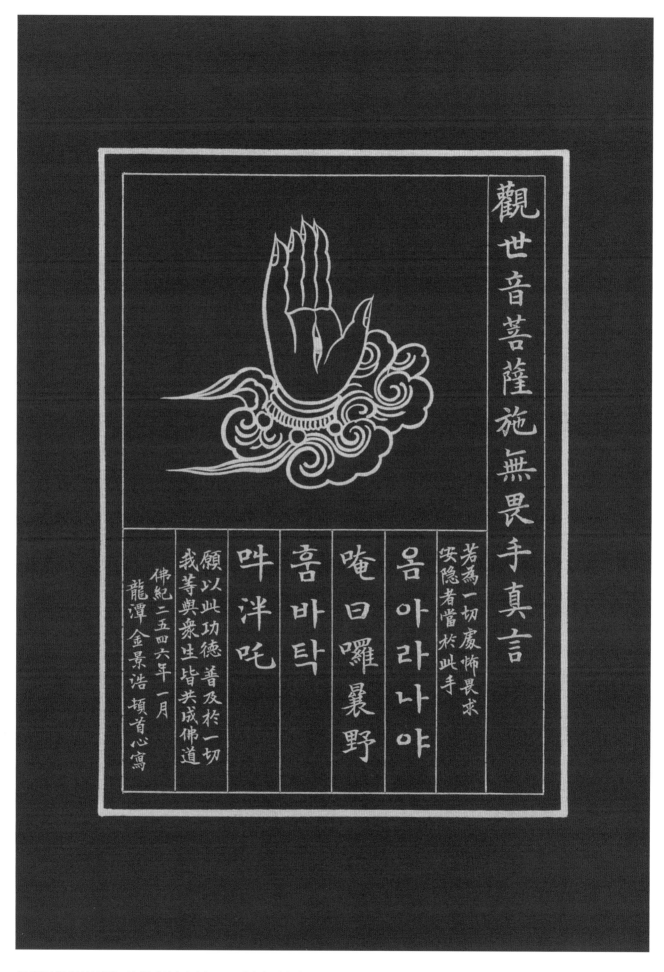

〈관세음보살시무외수진언〉 두려움과 불안에 처한 모든 곳에서 평온함을 얻으려거든 이 진언에 의지하라 옴 아라나야 훔 바탁

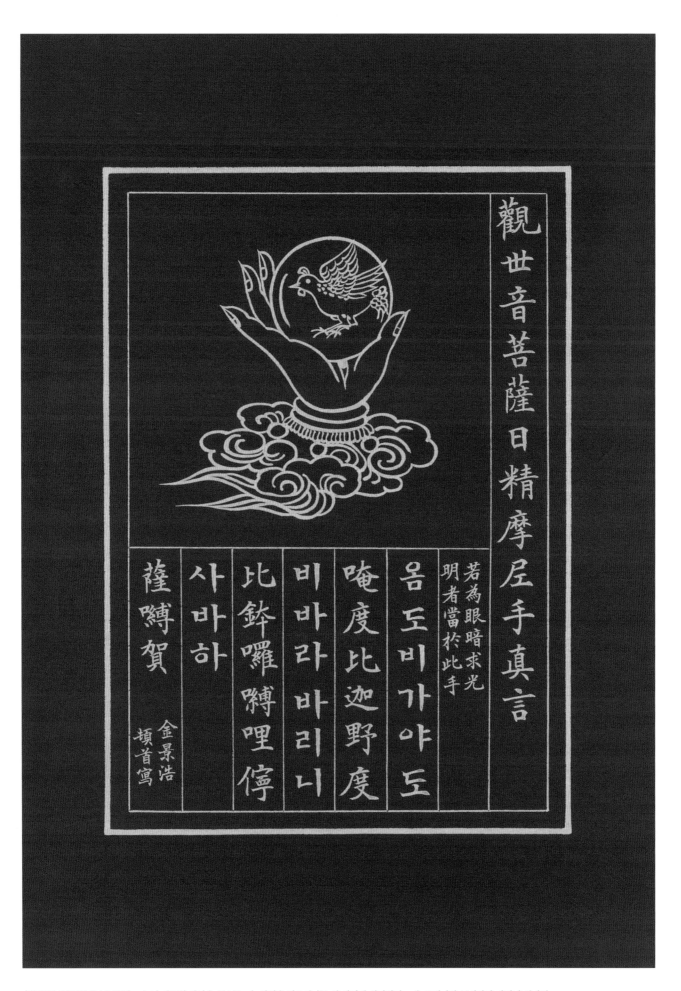

觀世音菩薩日精摩尼手眞言

若為眼暗求光
明者當於此手

옴 도비가야 도
唵 度 比 迦 野 度
비바라바리니
比鉢囉縛哩儜
사바하
薩縛賀

金景浩
頓首寫

〈관세음보살일정마니수진언〉 눈이 어두워 광명을 못 보는 자, 광명을 얻으려거든 이 진언에 의지하라 옴 도비가야 도비바라 바리니 사바하

20

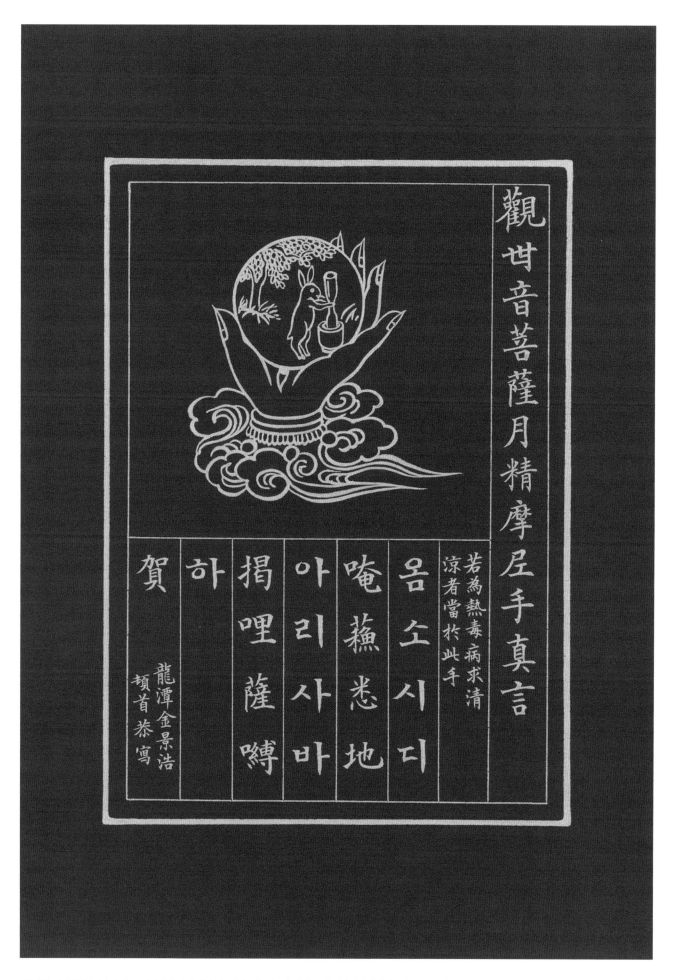

〈관세음보살월정마니수진언〉　열병과 독병에 걸린 자, 청량함을 얻고자 하거든 이 진언에 의지하라　옴 소시디 아리 사바하

〈관세음보살보궁수진언〉　영예로운 높은 관직을 얻고자 하거든 이 진언에 의지하라　옴 아자미례 사바하

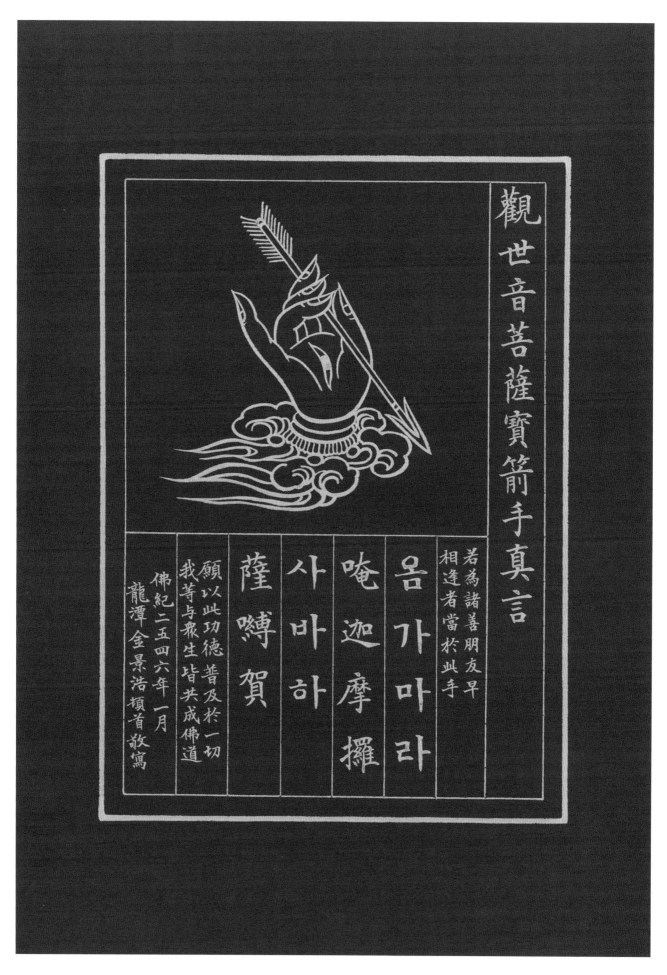

觀世音菩薩寶箭手真言

若爲諸善朋友早
相逢者當於此手

옴 가마라

唵迦摩攞

사바하

薩嚩賀

願以此功德普及於一切
我等与衆生皆共成佛道

佛紀二五四六年一月
龍潭金景浩頓首敬寫

〈관세음보살보전수진언〉　모든 좋은 벗들을 속히 만나고자 하거든 이 진언에 의지하라　옴 가마라 사바하

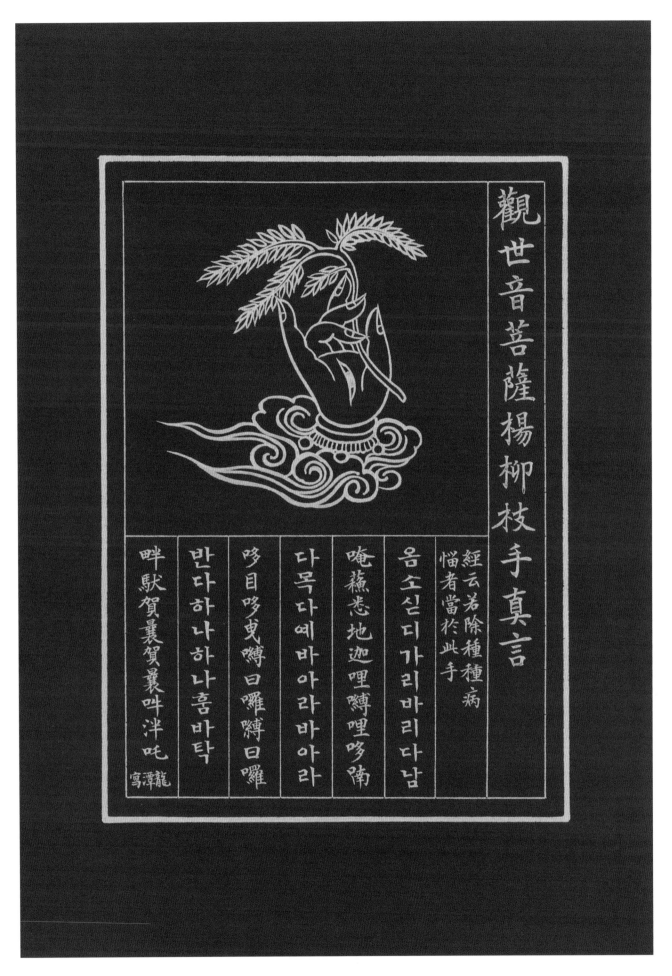

觀世音菩薩楊柳枝手真言

經云若除種種病　惱者當於此手

옴 소싣디 가리바리다남

唵薩悉地迦哩嚩哩哆喃

다목다예바아라바아라

多目多曳嚩日囉嚩日囉

哆目哆曳嚩日囉嚩日囉

반다하나훔바탁

반다하나훔바탁

畔馱賀曩賀曩吘泮吒　寫潭龍

〈관세음보살양류지수진언〉　갖가지 몸의 병과 마음의 고뇌를 제거하려거든 이 진언에 의지하라　옴 소싣디 가리바리다남다 목다예 바아라 바아라 반다 하나하나 훔 바탁

24

觀世音菩薩白拂手真言

若爲除滅一切惡障難者當於此手

옴 바나미니 바아바

唵鉢娜弭儜婆誐嚩

데모하야아아모하

帝謨賀野惹誐謨賀

니사바하

儜薩嚩賀

龍潭金景浩頓首恭寫

〈관세음보살백불수진언〉 모든 악과 장애와 어려움을 여의고자 하거든 이 진언에 의지하라   옴 바나미니 바아바데 모하야 아아 모하니 사바하

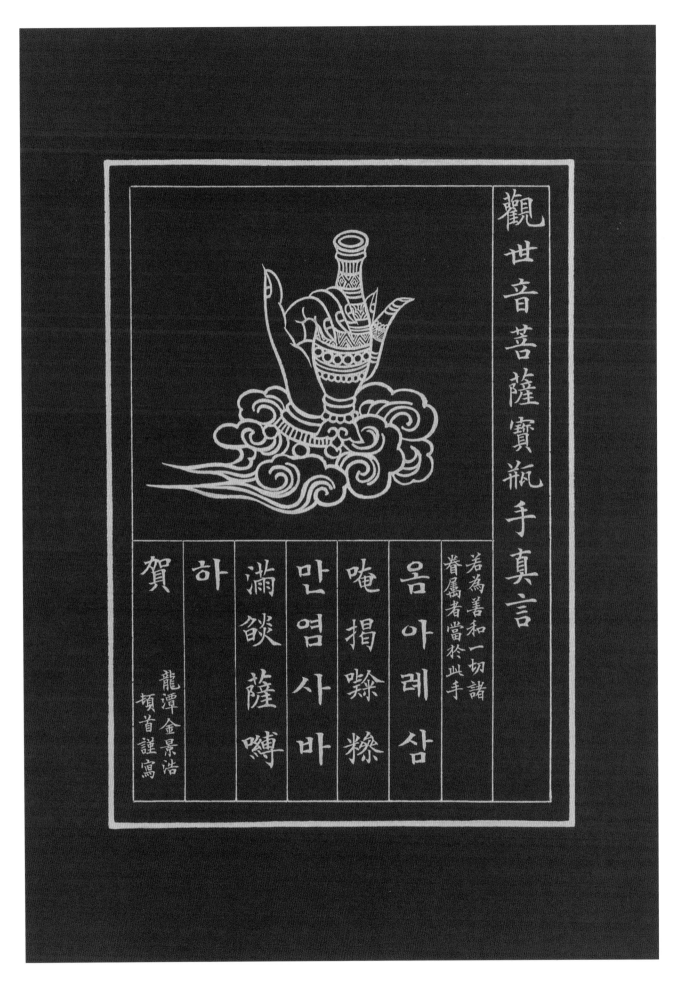

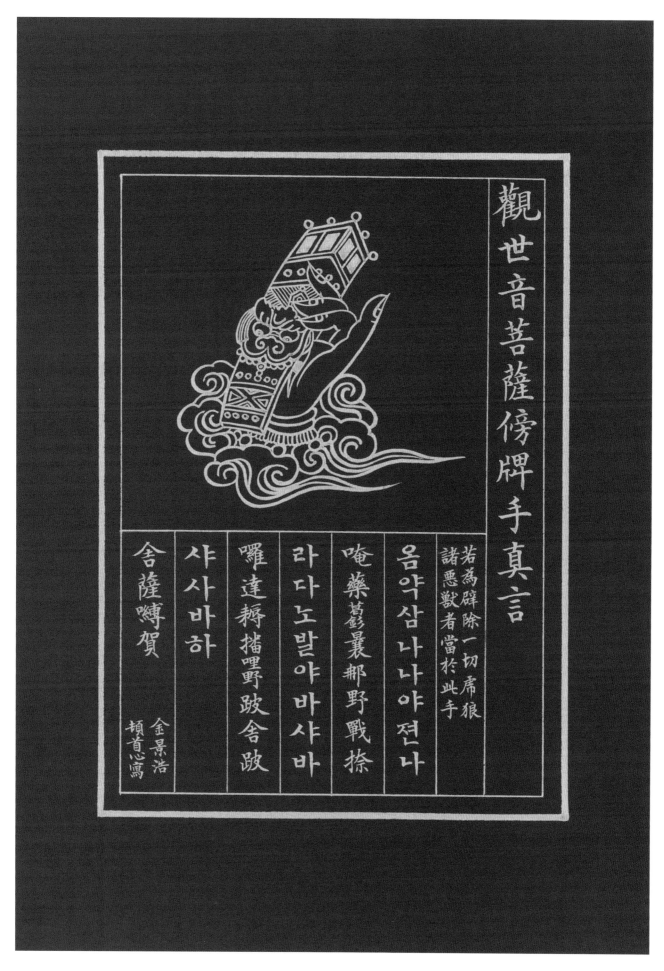

觀世音菩薩傍牌手眞言

若爲辟除一切虎狼
諸惡獸者當於此手

옴 약삼 나나야 젼나

唵藥葛彭曩郍野戰捺

라다노발야바샤바

囉達耨揩野跛舍跛

샤사바하

舍薩嚩賀

金景浩
頓首沁寫

〈관세음보살방패수진언〉 범, 이리 등 모든 악한 짐승들을 피하려거든 이 진언에 의지하라 옴 약삼 나나야 젼나라 다노발야 바샤 바샤 사바하.

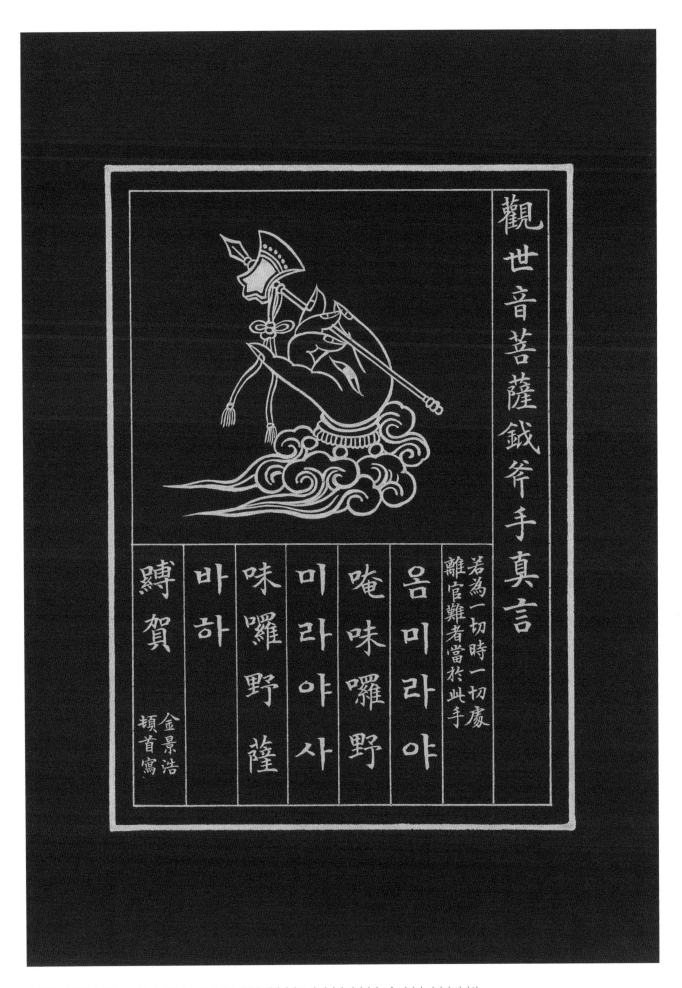

〈관세음보살월부수진언〉 모든 때, 모든 곳에서 관청의 환란을 면하려거든 이 진언에 의지하라   옴 미라야 미라야 사바하

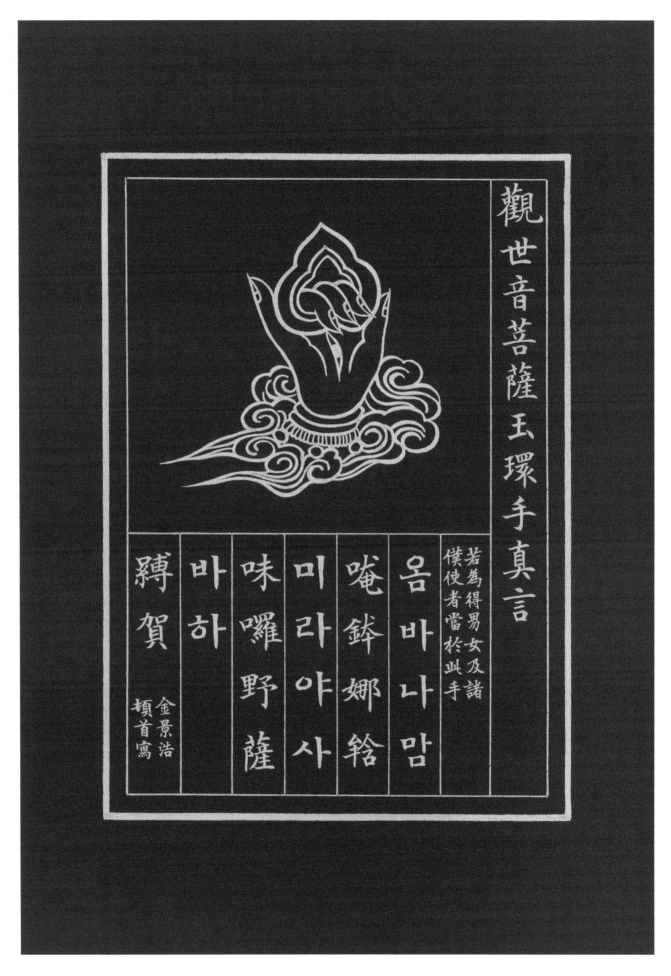

觀世音菩薩玉環手真言

若爲得男女及諸
僕使者當於此手

옴
바
나
맘

唵
鉢
娜
餂

미
라
야
사

味
囉
野
薩

바
하

縛
賀

金景浩
頓首寫

〈관세음보살옥환수진언〉 아들과 딸, 모든 좋은 하인을 얻고자 하거든 이 진언에 의지하라   옴 바나맘 미라야 사바하

觀世音菩薩白蓮華手真言

若為成就種種功
德者當於此手

唵縛曰囉
味囉野薩
미라야사
바하
縛賀

옴바아라

金景浩
頓首寫

〈관세음보살백련화수진언〉 갖가지의 최상승 공덕을 원만히 성취코자 하거든 이 진언에 의지하라   옴 바아라 미라야 사바하

30

觀世音菩薩青蓮華手真言

若爲求生十方淨
土者當於此手

옴 기리기리 바아라 볼반다 훔 바탁

唵枳哩枳哩嚩

옴기리기리바

아라볼반다훔

日囉部囉畔駄吽

바탁

泮吒

龍潭金景浩
頓首謹書寫

〈관세음보살청련화수진언〉　서방세계 극락정토에 왕생코자 하거든 이 진언에 의지하라　옴 기리기리 바아라 볼반다 훔 바탁

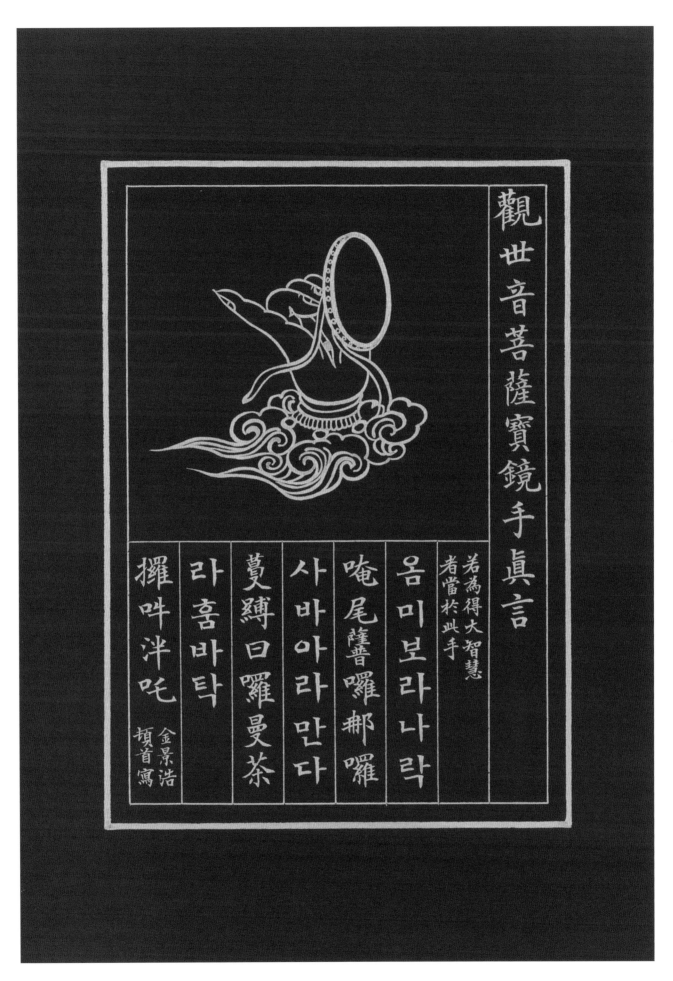

觀世音菩薩寶鏡手眞言

若爲得大智慧
者當於此手

옴미보라나락

唵尾薩普囉郍囉

사바아라만다

莫縛日囉曼茶

라훔바탁

攞吽泮吒

金景浩
頓首寫

〈관세음보살보경수진언〉 넓고 큰 지혜를 성취코자 하거든 이 진언에 의지하라   옴 미보라나 락사 바아라 만다라 훔 바탁

32

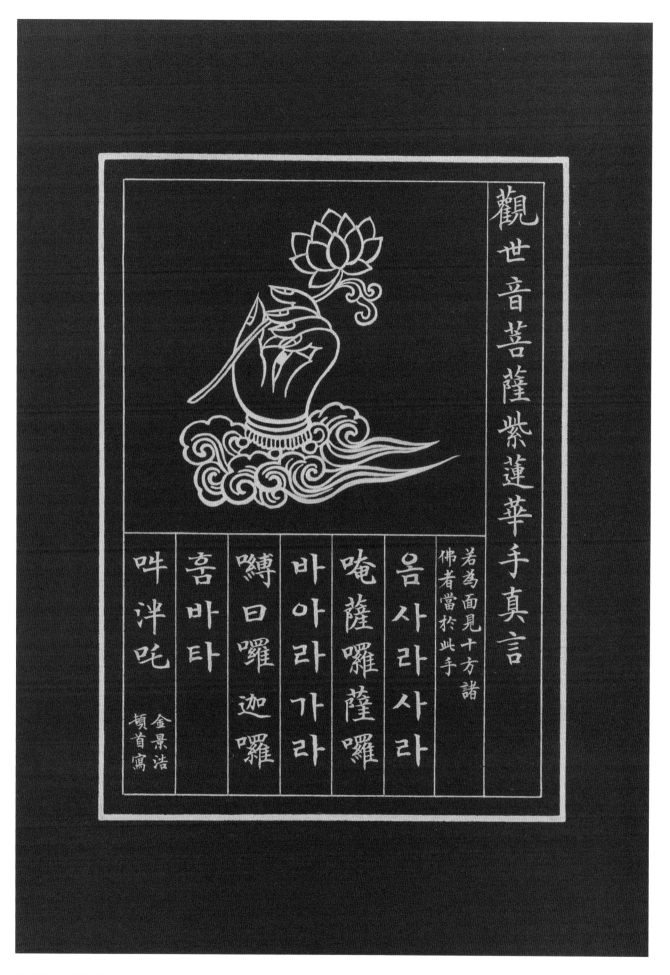

觀世音菩薩紫蓮華手眞言

若爲面見十方諸
佛者當於此手

옴 사라사라

唵薩囉薩囉
바아라 가라
嚩日囉迦囉
훔 바타
吽 泮吒
金景浩
頓首寫

〈관세음보살자련화수진언〉 시방세계 모든 부처님을 친견코자 하거든 이 진언에 의지하라 옴 사라사라 바아라 가라 훔 바타

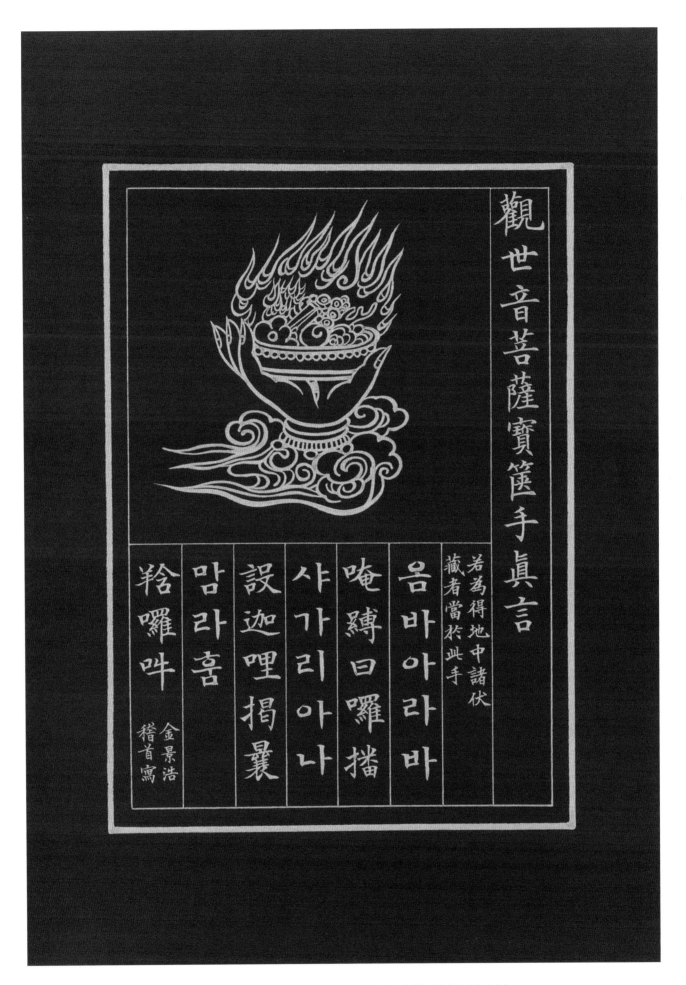

觀世音菩薩寶篋手眞言

若爲得地中諸伏
藏者當於此手

옴바아라바

唵嚩日囉播

샤가리아나

設迦哩掲曩

맘라훔

羚囉吽

金景浩
稽首寫

〈관세음보살보협수진언〉　땅 속에 묻혀 있는 진귀한 보물을 얻고자 하거든 이 진언에 의지하라　옴 바아라 바샤가리 아나 맘라 훔

觀世音菩薩五色雲手真言

若為成就仙道者當於此手

옴 바아라

唵縛日囉

가리라타

唵哩羅吒

迦哩囉吒

맘타

鎡吒

龍潭金景浩
稽首敬寫

〈관세음보살오색운수진언〉　신선도와 부처님 도를 속히 성취코자 하거든 이 진언에 의지하라　옴 바아라 가리 라타 맘타

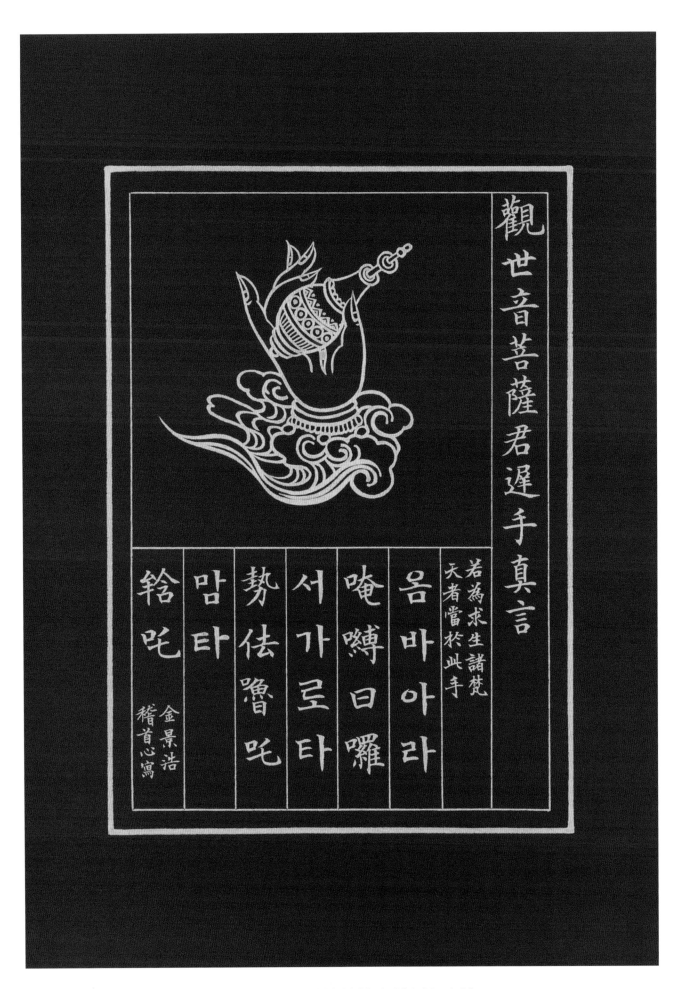

〈관세음보살군지수진언〉 모든 범천과 같은 천상계에 태어나고자 하거든 이 진언에 의지하라　옴 바아라 서가 로타 맘타

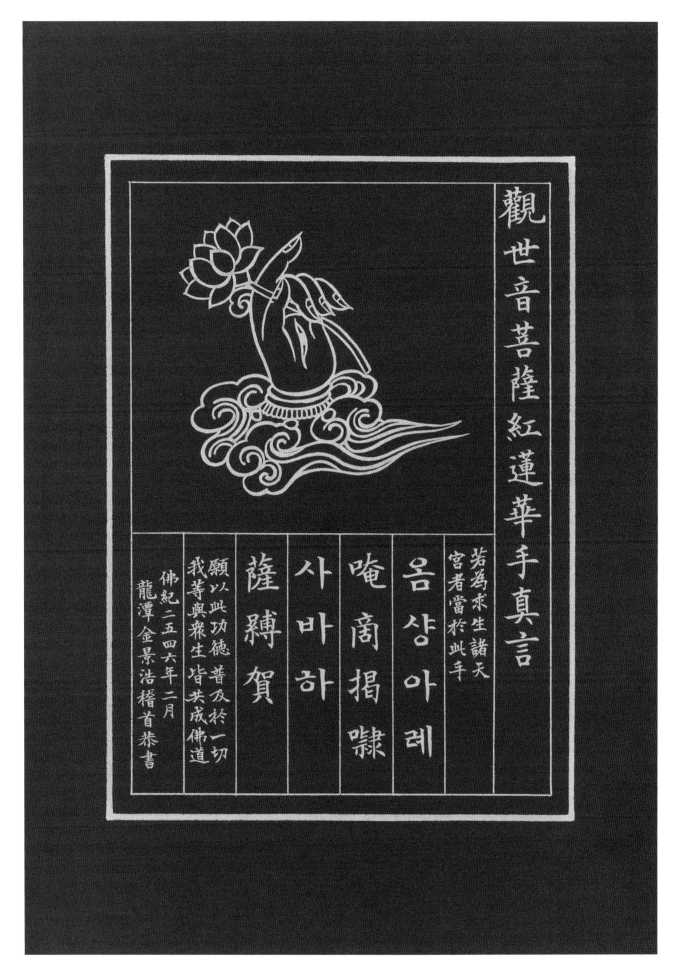

觀世音菩薩紅蓮華手眞言

若爲求生諸天
宮者當於此手

옴 샹아례

唵商揭㘑

사바하

薩嚩賀

願以此功德 普及於一切
我等與衆生 皆共成佛道

佛紀二五四六年二月
龍潭金景浩稽首恭書

〈관세음보살홍련화수진언〉 모든 천상계의 궁전에 태어나고자 하거든 이 진언에 의지하라   옴 샹아례 사바하

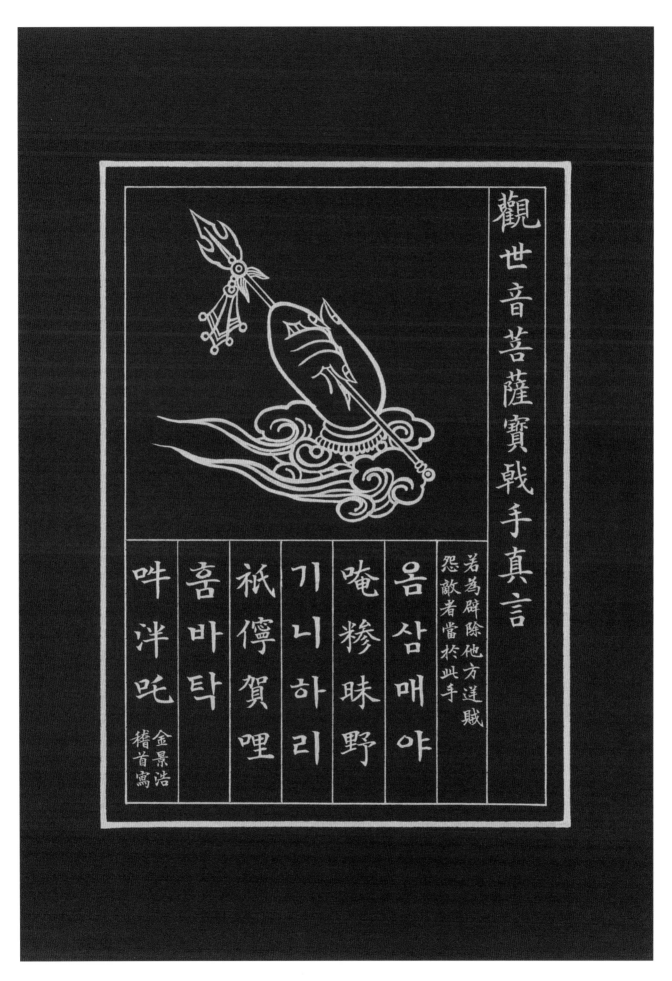

觀世音菩薩寶戟手真言

若爲辟除他方逆賊
怨敵者當於此手

옴
삼
매
야

唵糝昧野

기
니
하
리

祇儜賀哩

훔
바
탁

吽泮吒

金景浩
稽首寫

〈관세음보살보극수진언〉　외지의 적과 원한의 적을 물리치고자 하거든 이 진언에 의지하라　옴 삼매야 기니 하리 훔 바탁

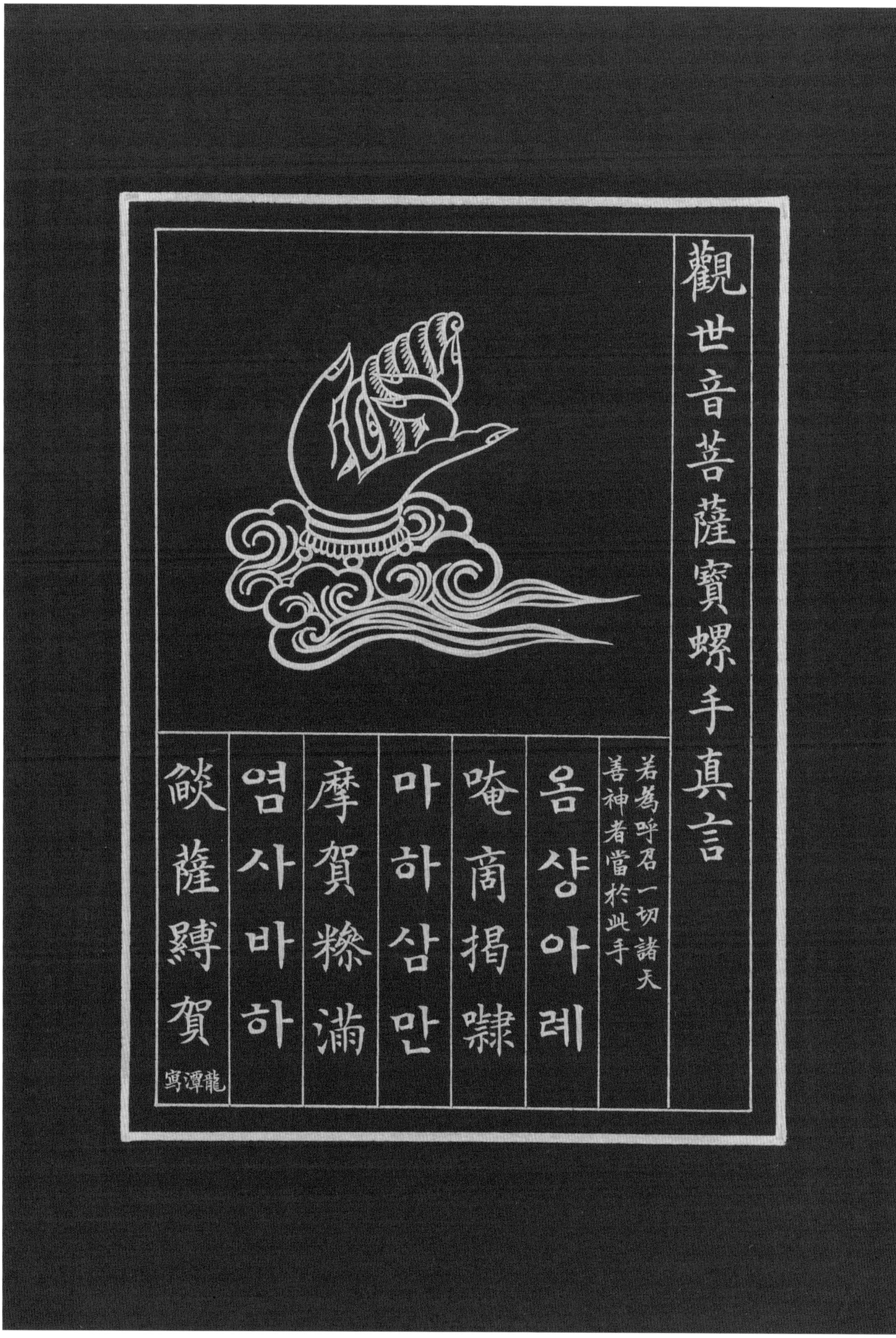
觀世音菩薩寶螺手真言
若爲呼召一切諸天
善神者當於此手
옴샹아례
唵商揭隸
마하삼만
摩賀糝滿
염사바하
焰薩嚩賀
龍潭寫

〈관세음보살보라수진언〉 일체의 천신과 선신을 청하고자 하거든 이 진언에 의지하라 옴 샹아례 마하 삼만염 사바하

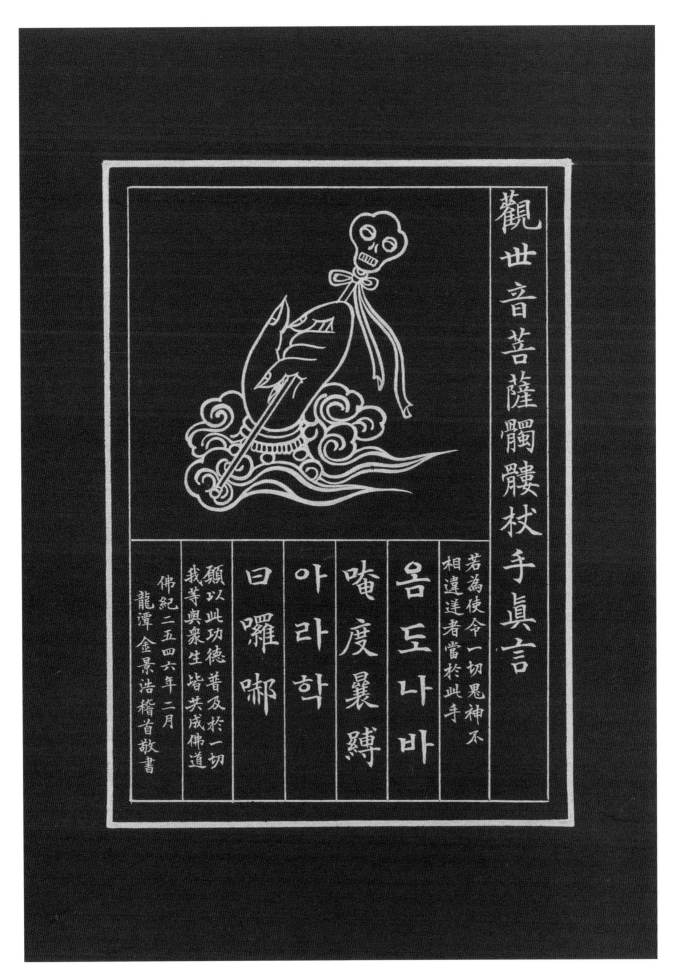

〈관세음보살촉루장수진언〉　모든 귀신을 뜻과 같이 부리고자 하거든 이 진언에 의지하라　옴 도나 바아라 학

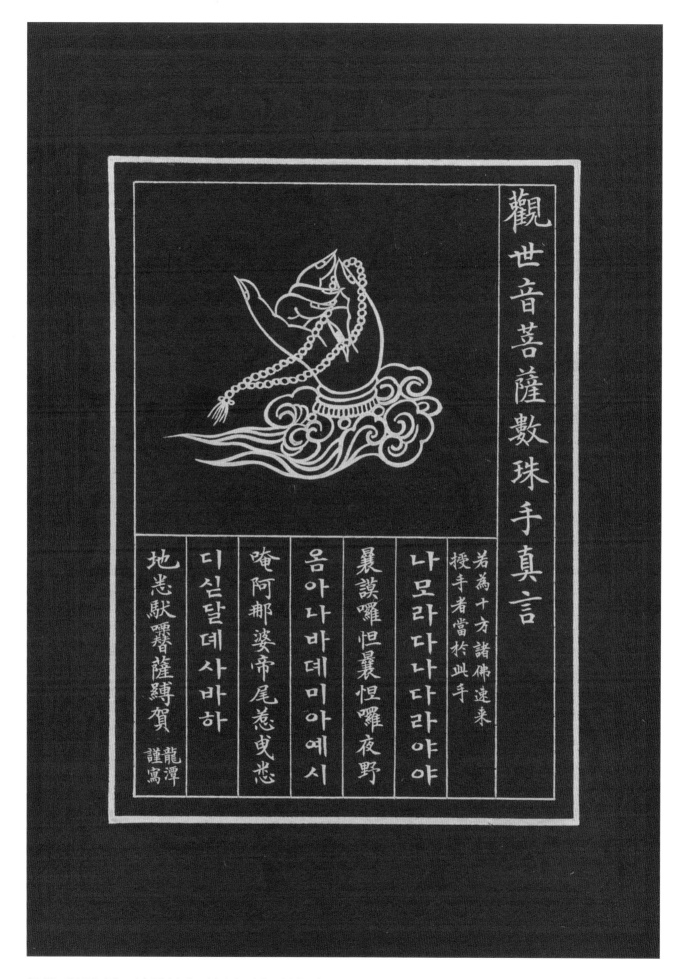

觀世音菩薩數珠手真言

若為十方諸佛速来
授手者當於此手

나모라 다나 다라 야야

曩謨囉怛曩怛囉夜野

옴 아나 바데 미아 예시

唵阿那婆帝尾惹曳悉

디십달뎨 사바하

地瑟馺礷薩縛賀　龍潭
　　　　　　　　　謹寫

〈관세음보살수주수진언〉　시방제불이 속히 오시어 수기 주시기를 바라거든 이 진언에 의지하라　나모라 다나 다라 야야 옴 아나바데 미아예 시디 싣달데 사바하

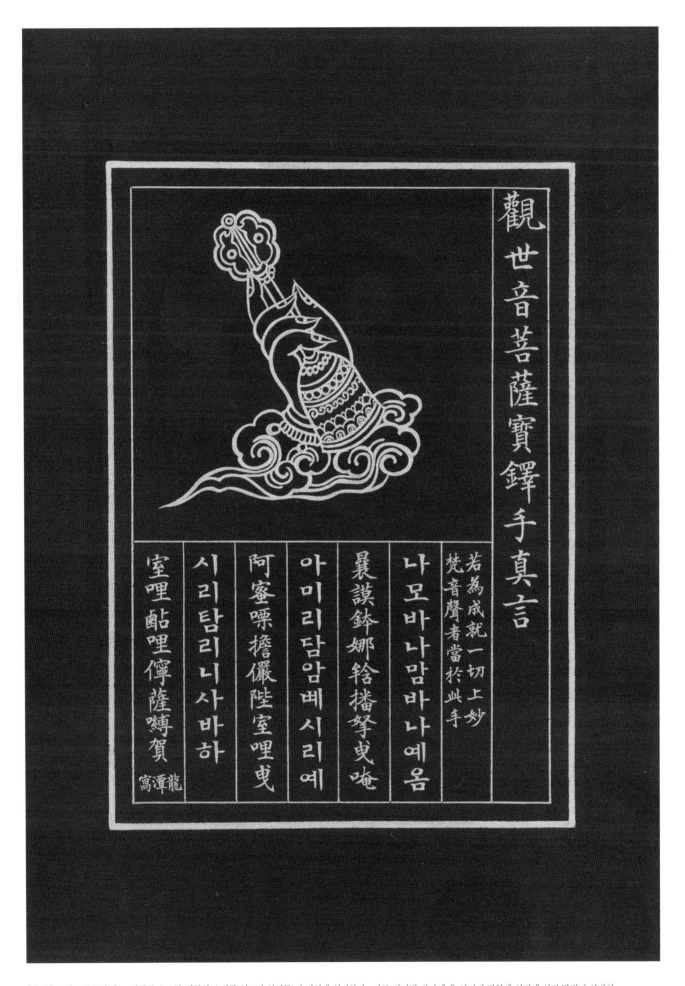

〈관세음보살보탁수진언〉　일체의 오묘한 범천의 소리를 얻고자 하거든 이 진언에 의지하라　나모 바나맘 바나예 옴 아미리 담암볘 시리예 시리 탐리니 사바하

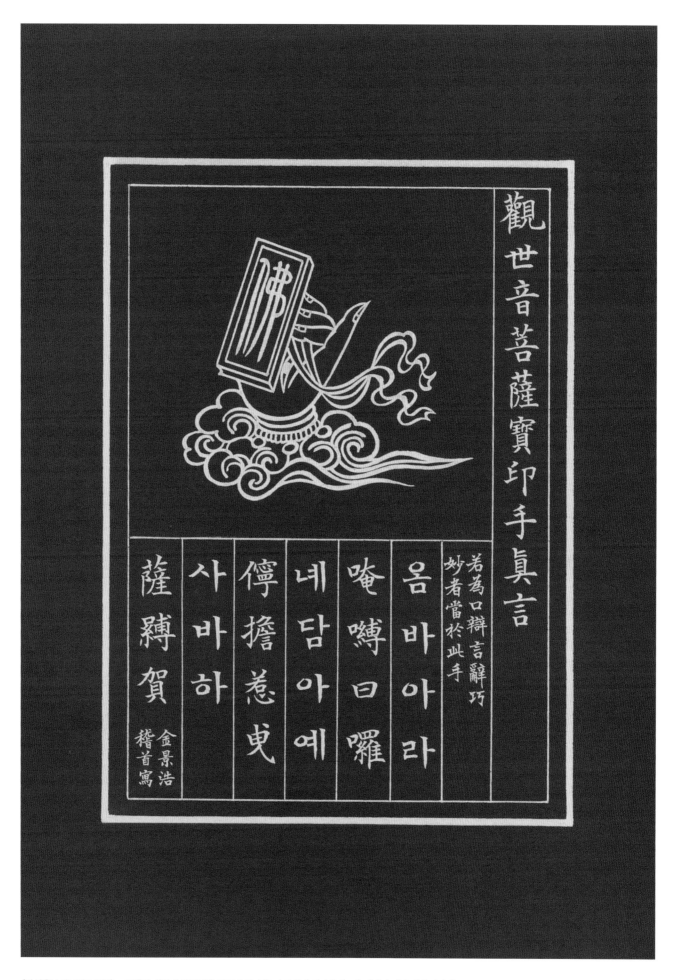

觀世音菩薩寶印手眞言

若爲口辯言辭巧
妙者當於此手

옴 바아라 녜담 아예
唵 嚩日囉 儜擔慈曳 薩嚩賀
옴 바아라 녜담 아예 사바하 薩嚩賀

金景浩
稽首寫

〈관세음보살보인수진언〉 구변과 언사에 뛰어남을 얻고자 하거든 이 진언에 의지하라   옴 바아라 녜담 아예 사바하

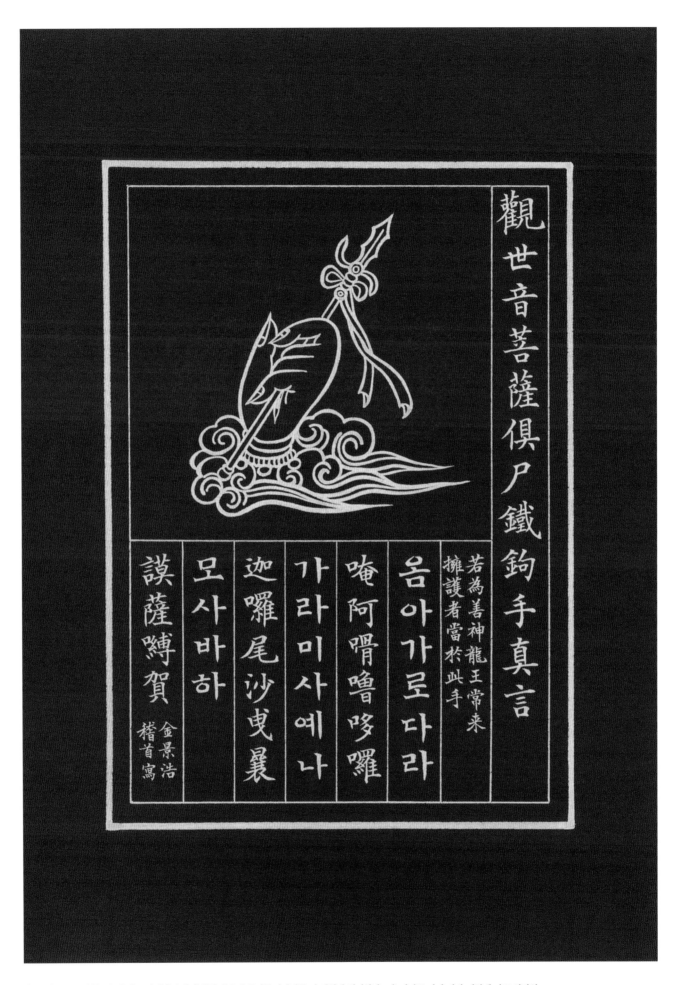

〈관세음보살구시철구수진언〉 선신과 용왕이 항상 옹호해 주기를 바라거든 이 진언에 의지하라 옴 아가로 다라 가라 미사예 나모 사바하

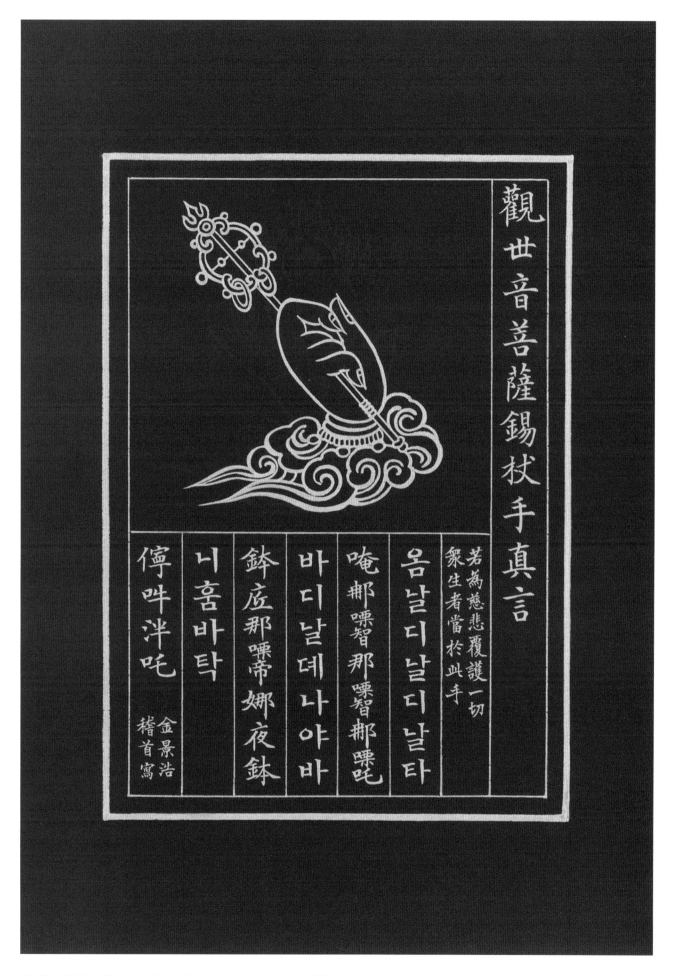

觀世音菩薩錫杖手眞言

若爲慈悲覆護一切
衆生者當於此手

옴 날디 날디 날타

唵郝𡀔智郝𡀔智郝𡀔吒

바디날뎨나야바

鉢底郝𡀔帝娜夜鉢

니훔바탁

停㘃泮吒

金景浩
稽首寫

〈관세음보살석장수진언〉 모든 중생을 자비로써 보호해 주고자 하거든 이 진언에 의지하라 옴 날디 날디 날타바디 날뎨 나야바니 훔 바탁

〈관세음보살합장수진언〉 모든 중생이 서로 공경하고 사랑케 하려거든 이 진언에 의지하라 옴 바나만 아링 하리

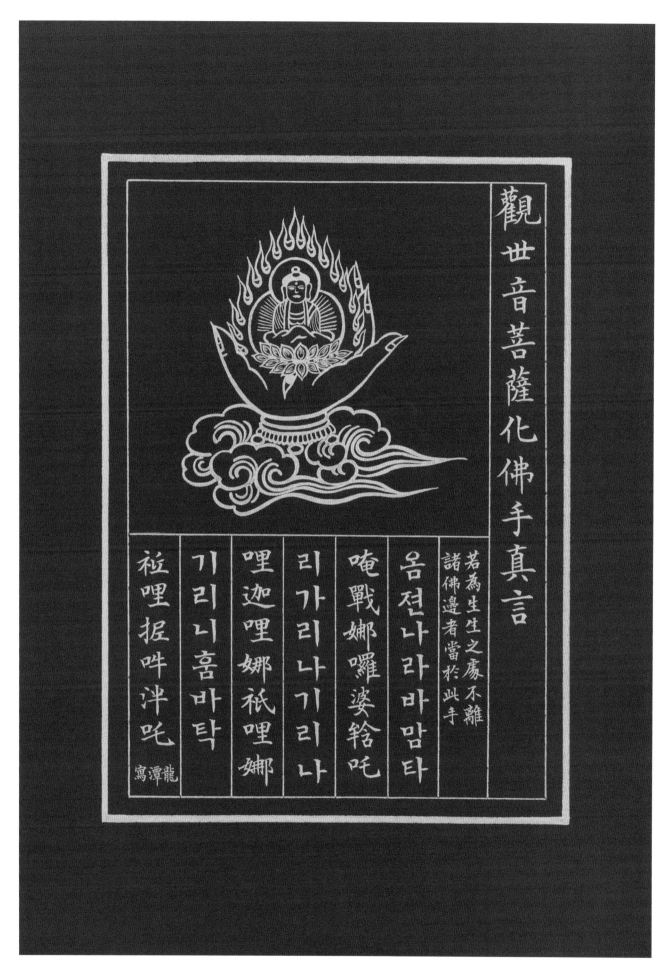

觀世音菩薩化佛手真言

若爲生生之處不離
諸佛邊者當於此手

옴 젼나라 바맘타

唵戰娜囉婆鈝吒

리 가 리 나 기 리 나

哩迦哩娜祇哩娜

기리니 훔 바탁

祇哩抳報咩泮吒

寫潭龍

〈관세음보살화불수진언〉 태어나는 곳곳마다 부처님 곁이기를 바라거든 이 진언에 의지하라 옴 젼나라 바맘타리 가리 나기리 나기리니 훔 바탁

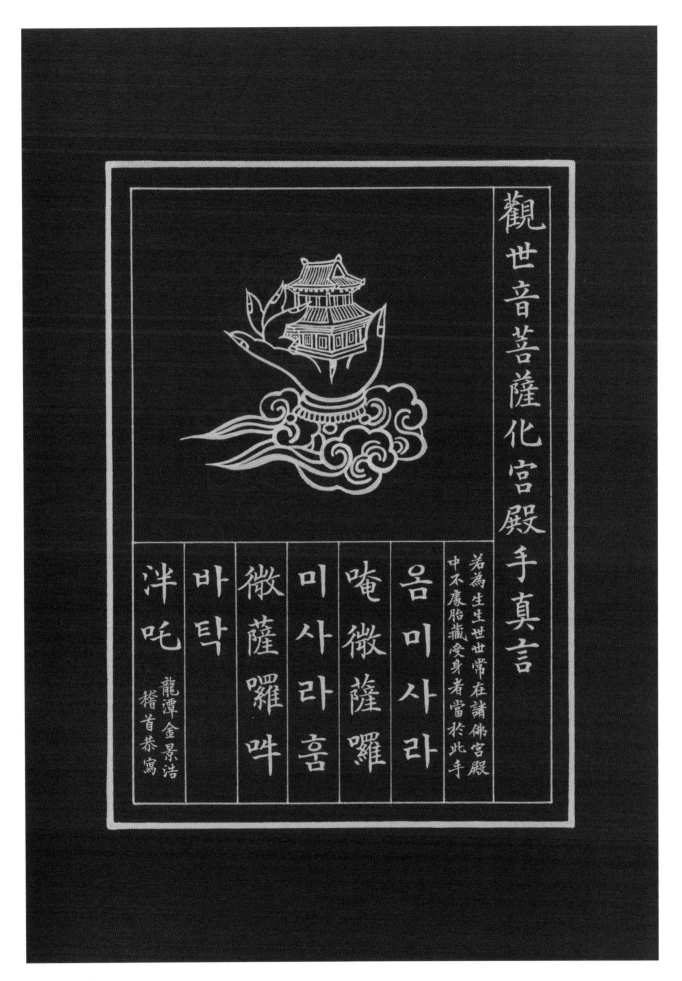

觀世音菩薩化宮殿手眞言

若爲生生世世常在諸佛宮殿
中不處胎藏受身者當於此手

옴 미사라

唵 微薩囉

미사라 훔

微薩囉吘

바탁

泮吒 龍潭金景浩
楷首恭寫

〈관세음보살화궁전수진언〉 세세생생 부처님 궁전에 머물고 태생을 면하려거든 이 진언에 의지하라 옴 미사라 미사라 훔 바탁

48

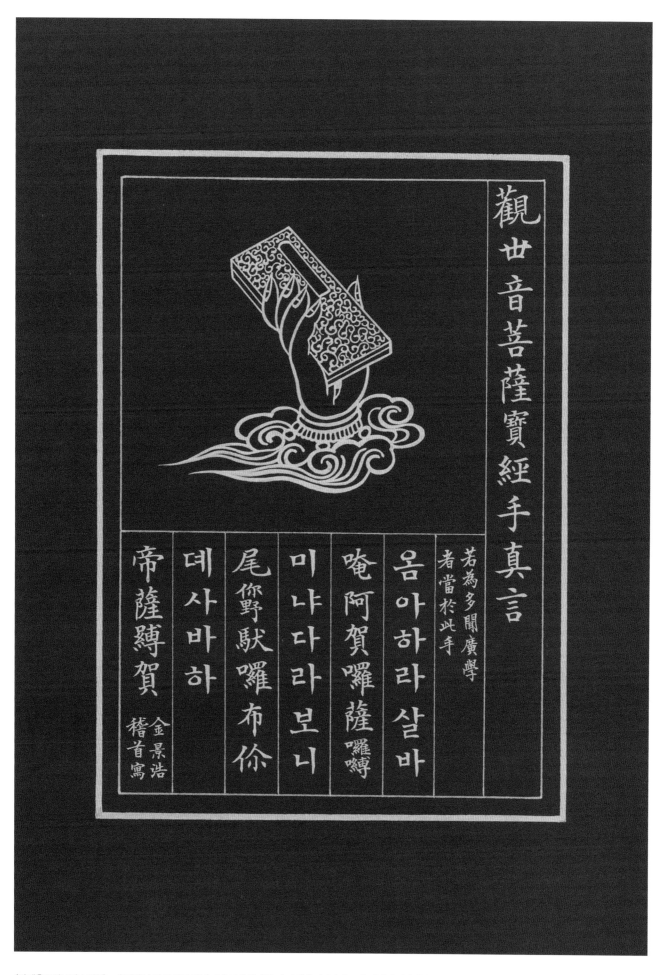

觀世音菩薩寶經手眞言

若爲多聞廣學
者當於此手

옴아하라살바

唵阿賀囉薩囉嚩

미냐다라보니

尾你野馱囉布伱

뎨사바하

帝薩嚩賀 金景浩
稽首寫

〈관세음보살보경수진언〉　총명하여 많이 듣고 널리 배우고자 하거든 이 진언에 의지하라　옴 아하라 살바미냐 다라 보니데 사바하

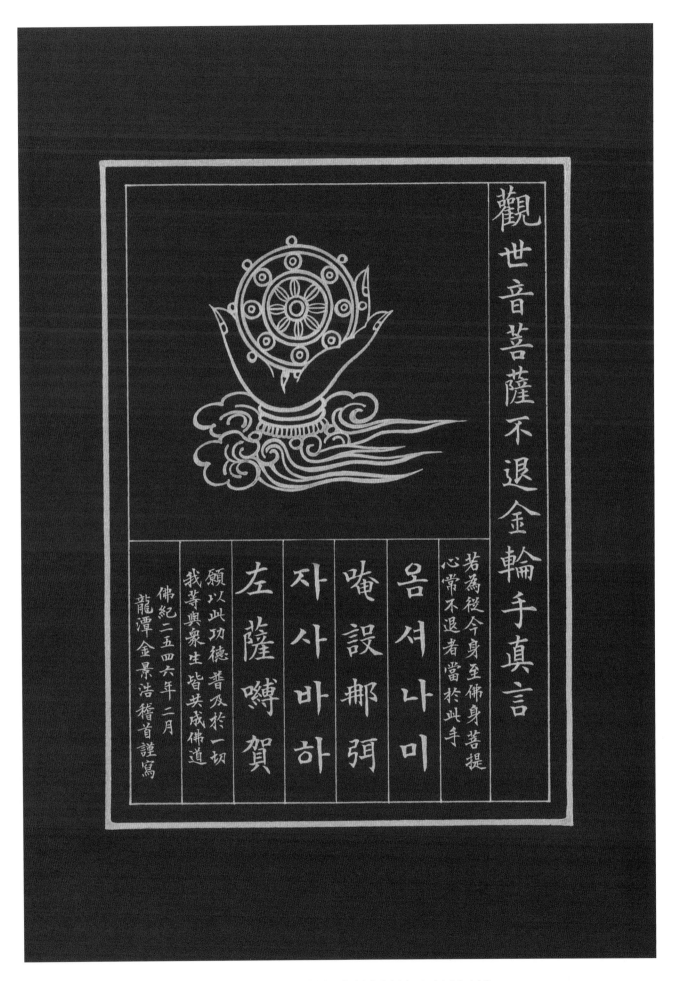

〈관세음보살불퇴금륜수진언〉 이생부터 성불시까지 불퇴전의 보리심을 가지려거든 이 진언에 의지하라 옴 셔나미자 사바하

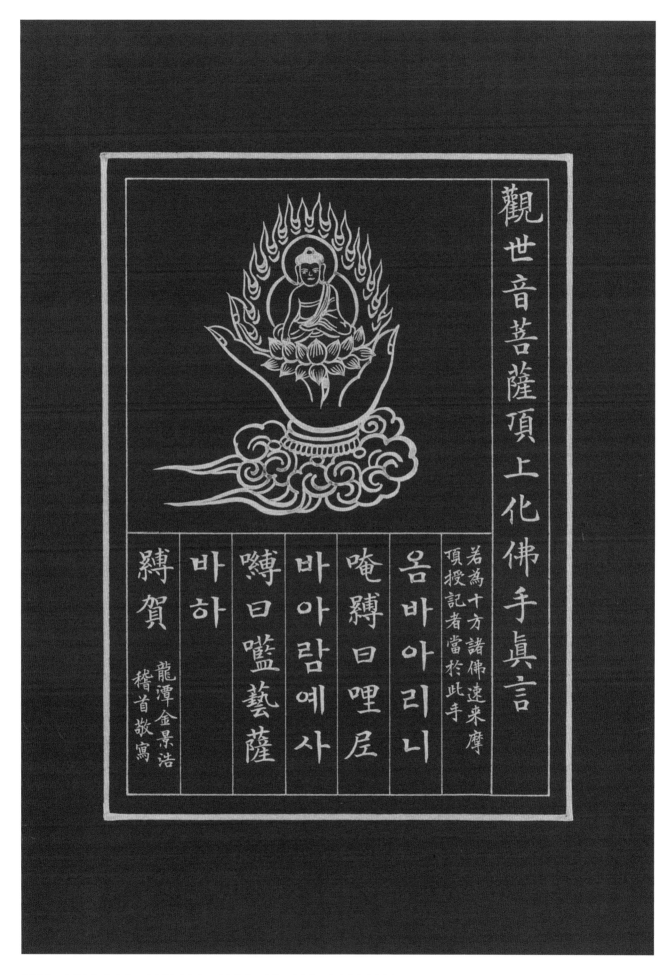

〈관세음보살정상화불수진언〉 시방제불이 속히 오시어 수기 주시기를 바라거든 이 진언에 의지하라 옴 바아리니 바아람예 사바하

―〈관세음보살포도수진언〉　과일, 채소 등 온갖 곡식의 풍성한 수확을 바라거든 이 진언에 의지하라　옴 아마라 검몌 니니 사바하

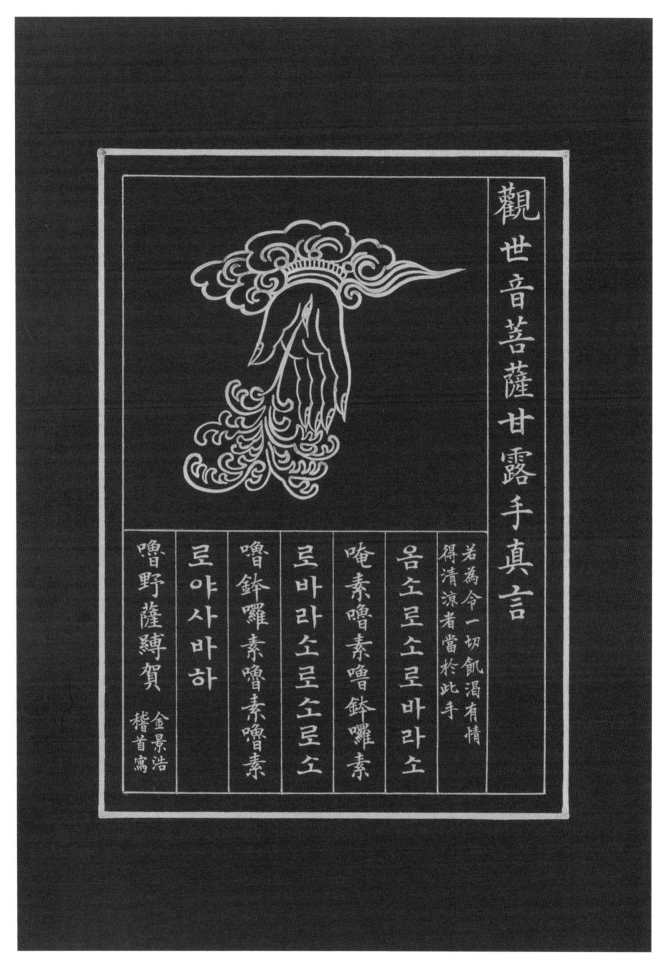

〈관세음보살감로수진언〉 모든 기갈 중생이 청량함을 얻게 되길 바라거든 이 진언에 의지하라 옴 소로 소로 바라소로 바라소로 소로 소로야 사바하

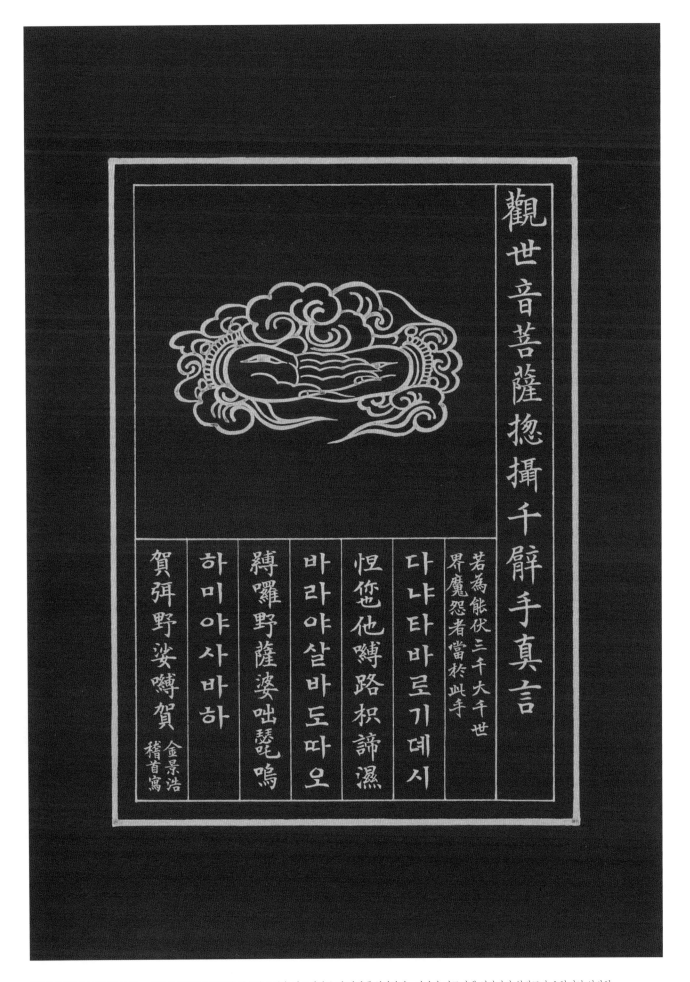

〈관세음보살총섭천비수진언〉　삼천대천세계의 악마와 원수의 조복을 받으려거든 이 진언에 의지하라　다냐타 바로기데 시바라야 살바도따 오하미야 사바하

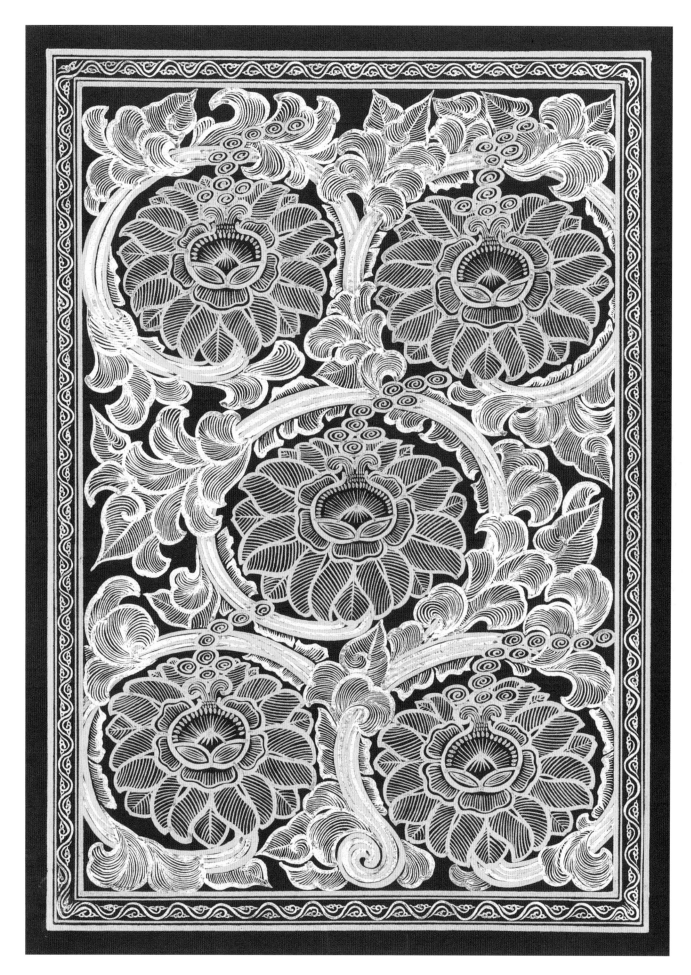

〈관세음보살42수진언〉 뒤표지

관세음보살 백련화수 진언

다길 김경호 쓴 전통사경 4

관세음보살 42수진언

제2부

観世音菩薩四十二手真言

觀世音菩薩如意珠手真言

經云若爲富饒種種珍財
資具者當於此手真言

옴 바아라 바
唵嚩日囉嚩

다라 훔 바탁
다라 훔 바탁

哆囉吽發吒

我等與衆生 皆共成佛道
願以此功德 普及於一切

龍潭金景浩頓首寫
佛紀二五四六年一月

觀世音菩薩羂索手真言

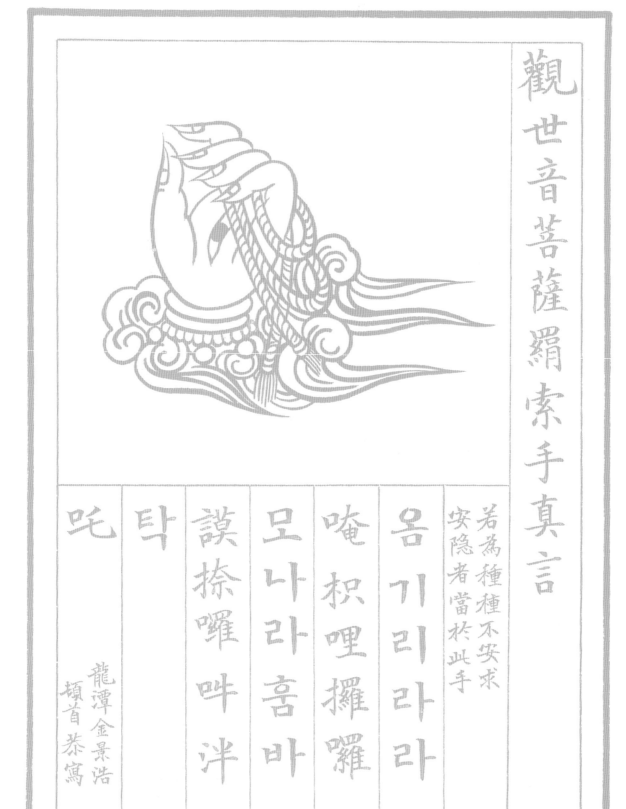

若為種種不安求
安隱者當於此手

옴 기리라라

唵枳哩擺囉

모나라 훔바

謨捺囉吽泮

탁

吒

龍潭金景浩
頓首恭寫

觀世音菩薩寶鉢手真言

若爲除滅腹中諸
病苦者當於此手

옴 기리기리

唵 枳哩枳哩

바아라 훔 바

嚩日羅 吽 發

嚩日羅 吽 發

탁

吒

龍潭金景浩
頓首敬寫

観世音菩薩寶篋手真言

若為降伏一切魍魎
鬼神者當於此手

唵帝勢帝惹觀

야비바탁

미니도데산다

尾儜觀提娑馱

야비바탁

野吽泮吒

金景浩
頓首寫

음데세데아도

觀世音菩薩跋折羅手真言

若爲降伏一切天魔
外道者當於此手

옴 니뼤 니뼤 니

唵 伱陛 伱陛 伱

바마하시리예

跋野摩訶室哩曳

사바하

薩嚩賀

金景浩
頓首心寫

觀世音菩薩金剛杵手真言

若為摧伏一切怨
敵者當於此手

옴바아라아니

唵嚩日囉祇儜

바라닙다야사

鉢囉你鉢多野薩

바하

嚩賀

龍潭金景浩
頓首謹寫

觀世音菩薩施無畏手真言

若爲一切處怖畏求
安隱者當於此手

옴 아 라 나 야

唵 曰 囉 曩 野

훔 바 탁

吽 泮 咤

願以此功德 普及於一切
我等與衆生 皆共成佛道

佛紀二五四六年一月
龍潭 金景浩 頓首心寫

觀世音菩薩日精摩尼手真言

若爲眼暗求光
明者當於此手

옴 도 비가 야 도

唵 度比迦野度

비바라 바리니

鉢囉縛哩儜

사바하

娑嚩賀

金景浩
頓首寫

70

觀世音菩薩月精摩尼手真言

若爲熱毒病求清
凉者當扵此手

옴 소 시 디

唵 蘇 悉 地

아 리 사 바

揭 哩 薩 嚩

하

賀

龍潭金景浩
頓首恭寫

觀世音菩薩寶弓手真言

若為榮官益職
者當於此手

음아자미

唵阿左尾

례사마하

嚕薩嚩賀

願以此功德普及於一切
我等與眾生皆共成佛道

佛紀二五四六年一月
龍潭金景浩頓首心寫

觀世音菩薩寶箭手真言

若爲諸善朋友早
相逢者當於此手

옴 가 마 라

唵 迦 摩 攞

사 바 하

薩 嚩 賀

願以此功德普及於一切
我等與眾生皆共成佛道

佛紀二五四六年一月
龍潭金景浩頓首敬寫

觀世音菩薩楊柳枝手真言

經云若除種種病
惱者當於此手

옴 소 싯 디 가 리 바 리 다 남

唵 蘇 悉 地 迦 哩 嚩 哩 哆 喃

다 목 다 예 바 아 라 바 아 라

哆目哆曳嚩日囉嚩日囉

반 다 하 나 훔 바 탁

畔 馱 賀 曩 賀 曩 吽 泮 吒

寫潭龍

74

觀世音菩薩白拂手真言

若為除滅一切惡
障難者當於此手

옴 바나 미니 바아바

唵鉢娜彌儜婆誐嚩

데모 하야 아아 모하

帝謨賀野惹誐謨賀

니사바하

儜薩嚩賀

龍潭金景浩
頓首恭寫

觀世音菩薩寶瓶手真言

若為善和一切諸
眷屬者當於此手

옴 아 례 삼

唵揭嚧糝

만 염 사 바

滿啖薩嚩

하

滿啖薩嚩賀

龍潭金景浩
頓首謹寫

76

觀世音菩薩傍牌手真言

若爲辟除一切虎狼
諸惡獸者當於此手

옴약삼나나야젼나

唵藥葛彭曩耶野戰捺

라다노발아바사바

囉達耨撞哩野跂舍跂

샤사바하

舍薩嚩賀

金景浩
頓首心寫

観世音菩薩鉞斧手真言

若為一切時一切處
離官難者當於此手

唵味囉野

옴미라야

미라야사

味囉野薩

바하

縛賀

金景浩
頓首寫

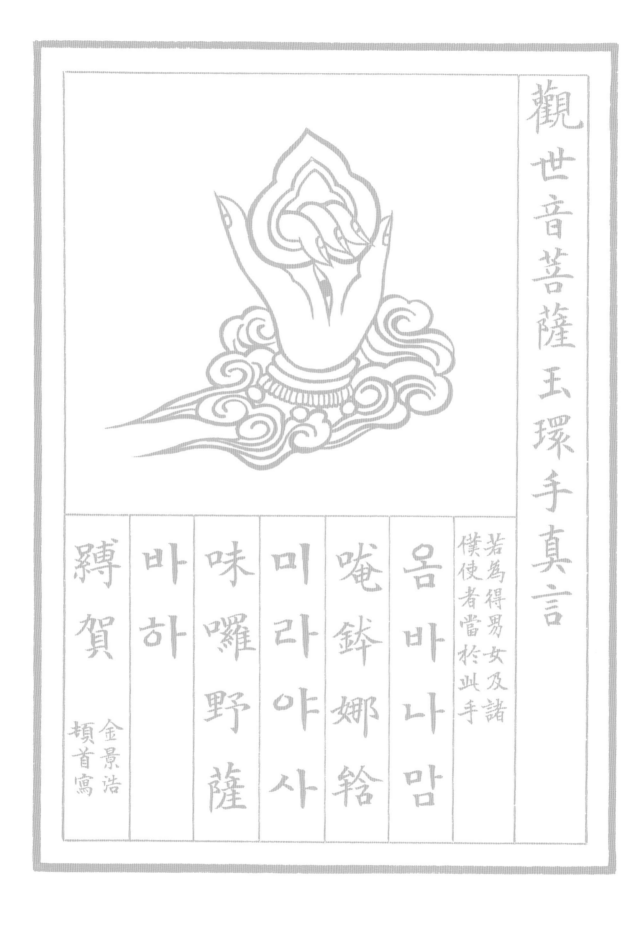

觀世音菩薩玉環手真言

若爲得男女及諸
僕使者當於此手

옴바나맘

唵鉢娜銓

미라아사

味囉野薩

바하

縛賀　金景浩
頓首寫

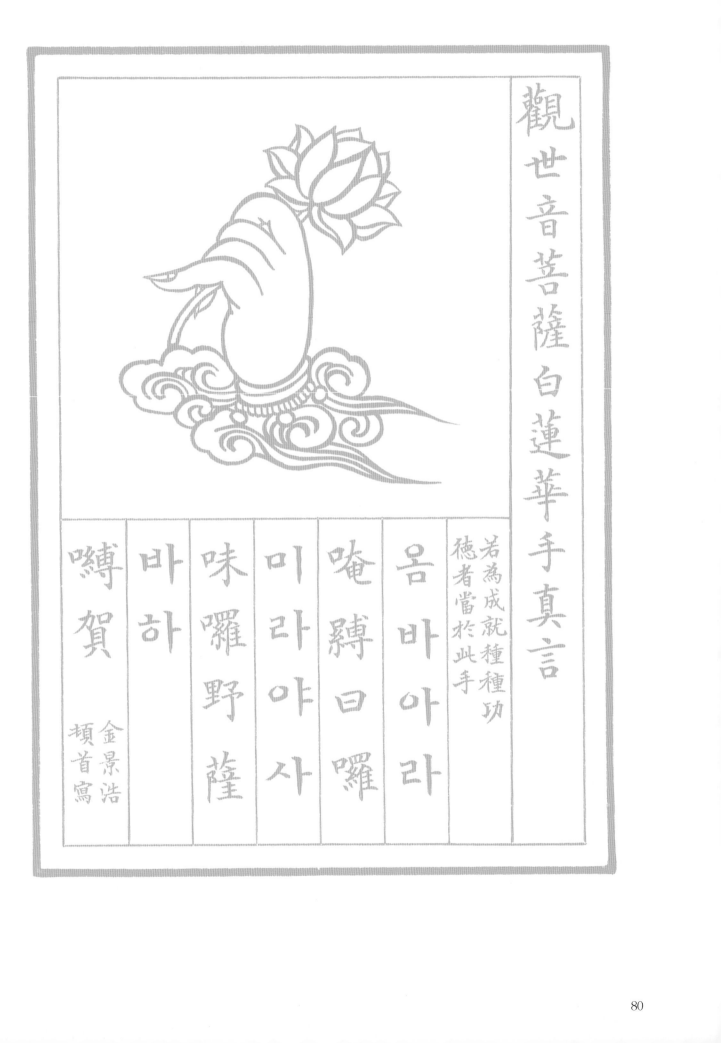

觀世音菩薩白蓮華手真言

若為成就種種功
德者當於此手

唵 嚩日囉
미 라야사
味囉野薩
바하
嚩賀

옴 바아라
金景浩
頓首寫

觀世音菩薩青蓮華手真言

若爲求生十方淨
土者當於此手

옴 기리 기리 바

唵 枳哩 枳哩 嚩

아라 볼반다 훔

日囉 部囉畔 馱吽

바탁

泮吒

龍潭 金景浩
頓首 謹書寫

觀世音菩薩寶鏡手眞言

若為得大智慧
者當於此手

옴 미 보 라 나 락

唵尾薩普囉㖿囉
(薩普囉㖿囉)

사 바 아 라 만 다

蔓縛日囉曼茶

라 훔 바 탁

攞吽泮吒

攞吽泮吒
金景浩
頓首寫

觀世音菩薩紫蓮華手真言

若爲面見十方諸
佛者當於此手

옴사라사
라

옴薩囉薩囉

바아라가
라

嚩日囉迦囉

훔바타

훔바타

吽泮吒

吽泮吒

金景浩
頓首寫

觀世音菩薩寶篋手眞言

若為得地中諸伏
藏者當於此手

唵바아라바

唵縛日囉搢

샤가리아나

設迦哩揭曩

맘라훔

鑁囉吽

金景浩
稽首寫

84

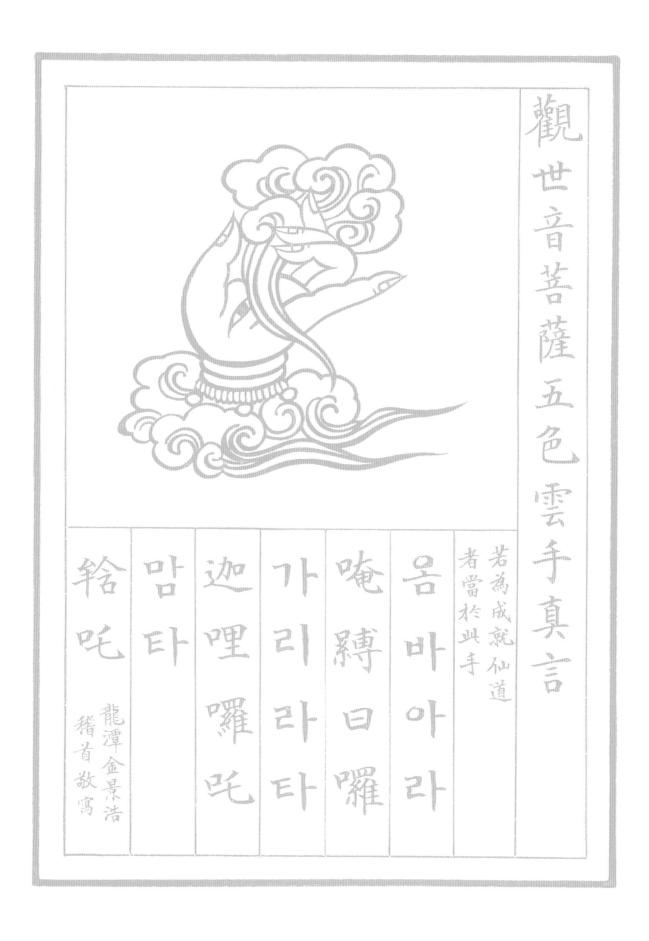

觀世音菩薩五色雲手真言

若爲成就仙道
者當於此手

옴 바아라

唵縛日囉

가리 라타

迦哩囉吒

맘타

鈐吒

龍潭金景浩
稽首敬寫

觀世音菩薩君遲手真言

若為求生諸梵
天者當於此手

唵 뱌아라

옴 唵嚩日囉

서가로타

势佉魯吒

咁타

铃吒

金景浩
稽首心寫

86

觀世音菩薩紅蓮華手真言

若爲求生諸天
宮者當於此手

옴 샹아례

唵 商 揭 隷

사바하

薩 縛 賀

願以此功德 普及於一切
我等與衆生 皆共成佛道

佛紀二五四六年二月
龍潭金景浩稽首恭書

觀世音菩薩寶戟手真言

若為辟除他方逆賊
怨敵者當於此手

唵 삼매야

唵 糝昧野

기니하리

祇儜賀哩

喜바탁

吽泮吒

金景浩
稽首寫

觀世音菩薩寶螺手真言

若爲呼召一切諸天
善神者當於此手

옴 상아례

唵 商揭隸

마하삼만

摩賀糝滿

염사바하

摩賀糝滿

娑縛賀

염사바하

欿薩縛賀

龍潭寫

觀世音菩薩髑髏杖手眞言

若爲使令一切鬼神不
相違迷者當於此手

옴 도 나 바

唵度曩縛

아라학

曰囉喇

願以此功德普及於一切
我等與衆生皆共成佛道

佛紀二五四六年二月
龍潭金景浩稽首敬書

觀世音菩薩數珠手真言

若爲十方諸佛速来
授手者當於此手

나모라다나다라야야

曩謨囉怛曩怛囉夜野

옴아나바뎨미아예시

唵阿那婆帝尾惹曳悉

디십달뎨사바하

地瑟駅帶薩縛賀

龍潭
謹寫

觀世音菩薩寶鐸手真言

若為成就一切上妙
梵音聲者當於此手

나모바나맘바나예옴

曩謨鉢娜輪播拏曳唵

아미리담암삐시리예

阿蜜㗚擔儼陛室哩曳

시리탐리니사바하

室哩黏哩儜薩嚩賀

龍潭寫

92

觀世音菩薩寶印手眞言

若爲口辯言辭巧
妙者當於此手

옴 바아라

唵 嚩 日 囉

네 담 아 예

儜 擔 惹 曳

사 바 하

娑 縛 賀

薩 縛 賀

金景浩
稽首寫

觀世音菩薩俱尸鐵鉤手真言

若為善神龍王常來擁護者當於此手

唵阿嚕嚕哆囉

옴아가로다라

가라미사예나

迦囉尾沙曳曩

모사바하

謨薩縛賀

金景浩 稽首寫

觀世音菩薩錫杖手真言

若為慈悲覆護一切
眾生者當於此手

옴날디날디날타

唵
那㘑智那㘑智那㘑吒

바디날뎨나아바

鉢�那㘑帝娜夜鉢

니훔바탁

停吽泮吒

金景浩
稽首寫

觀世音菩薩合掌手真言

若為令一切鬼神龍蛇虎狼師子
人及非人恭敬愛念者當於此手

옴바나만

唵鉢訥曼

아링하리

惹陵紇哩

願以此功德普及於一切
我等與眾生皆共成佛道

佛紀二五四六年二月
龍潭金景浩稽首謹寫

觀世音菩薩化佛手真言

若爲生生之處不離
諸佛邊者當於此手

옴젼나라바맘타

唵戰娜囉婆輪吒

리가리나기리나

哩迦哩娜祇哩娜

기리니훔바탁

枳哩捉吽泮吒

寫潭龍

觀世音菩薩化宮殿手真言

若為生生世世常在諸佛宮殿
中不處胎藏受身者當於此手

옴미사라

唵微薩囉

미사라훔

微薩囉吽

바탁

泮吒

龍潭金景浩
楷首恭寫

觀世音菩薩寶經手眞言

若爲多聞廣學
者當於此手

옴아하라살바

唵阿賀囉薩囉嚩

미나다라보니

尾你野馱囉布价

데사바하

帝薩嚩賀

金景浩
稽首寫

觀世音菩薩不退金輪手眞言

若為從今身至佛身菩提
心常不退者當於此手

옴 쉬 나 미

唵 設 郍 彌

자 사 바 하

左 薩 嚩 賀

願以此功德 普及於一切
我等與眾生 皆共成佛道

佛紀二五四六年二月
龍潭金景浩稽首謹寫

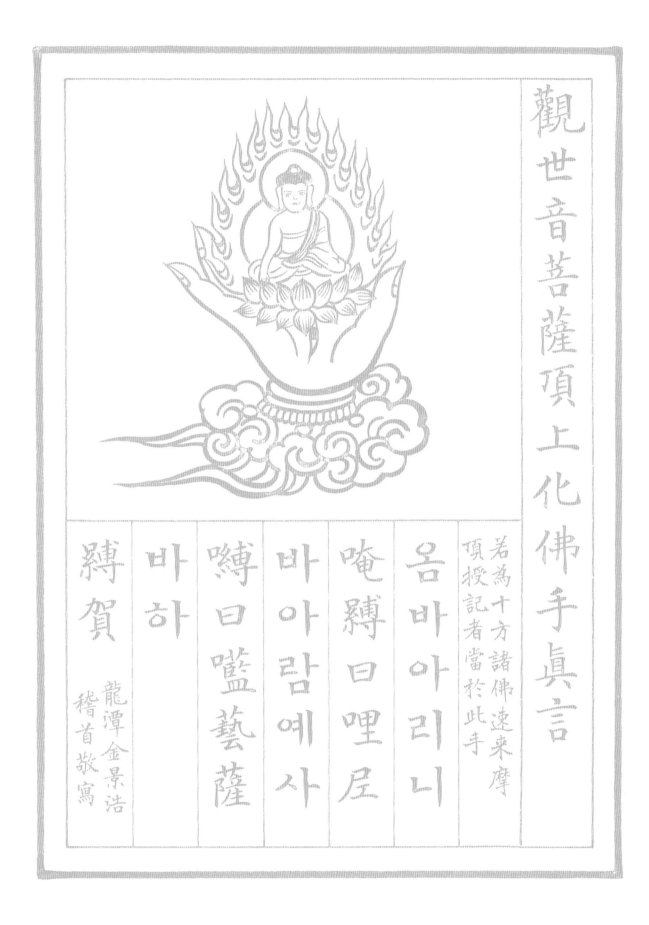

觀世音菩薩頂上化佛手眞言

若爲十方諸佛速來摩
頂授記者當於此手

옴바아리니

唵縛日哩瓩

바아람예사

縛日攬藝薩

바하

縛賀

龍潭金景浩
稽首敬寫

觀世音菩薩蒲桃手真言

若為繁盛果蓏者
穀稼者當於此手

음아마라껌

唵阿摩攞釰

데니니사바

帝你儜薩嚩

하

賀

龍潭金景浩
稽首謹寫

觀世音菩薩甘露手眞言

若爲令一切飢渴有情
得清涼者當於此手

옴소로소로바라소

唵素嚕素嚕鉢囉素

로바라소로소로소

嚕鉢囉素嚕素嚕素

로아사바하

嚕野薩縛賀　金景浩
　　　　　楷首寫

觀世音菩薩揔攝千臂手真言

若爲能伏三千大千世
界魔怨者當於此手

다나타바로기뎨시

怛儞他嚩路枳諦濕

바라야살바도따오

嚩囉野薩婆咄瑟吒鳴

하미야사바하

賀彌野娑嚩賀　金景浩
　　　　稽首寫

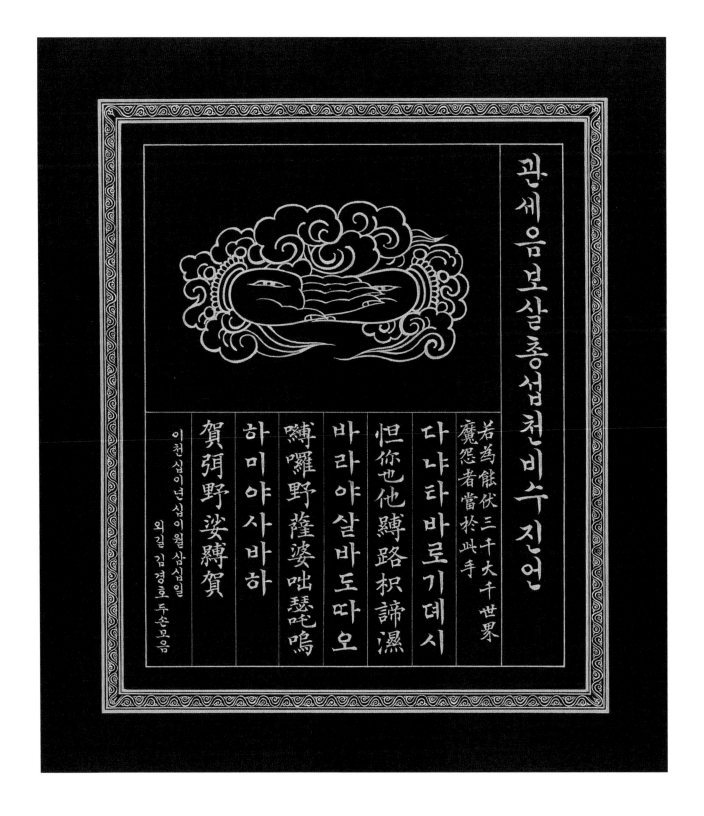

〈관세음보살총섭천비수진언〉
  32.8cm / 28.8cm 감지, 금분, 은분, 녹교, 명반
  삼천대천세계의 악마와 원수의 조복을 받으려거든 이 진언에 의지하라
  다냐타 바로기뎨 시바라야 살바도따 오하미야 사바하

觀世音菩薩施無畏手真言

심신의 평안

觀世音菩薩如意寶珠手真言

부·재물

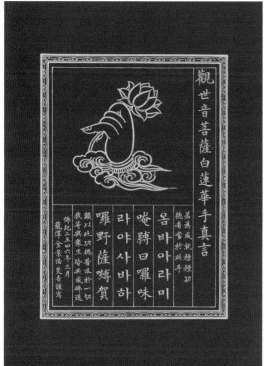

觀世音菩薩白蓮華手真言

공덕 성취

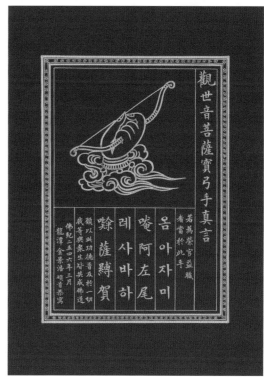

觀世音菩薩寶弓手真言

성공 영전

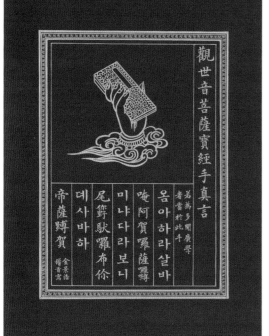

觀世音菩薩寶經手真言

학문 성취

〈관세음보살 여의주수진언, 보궁수진언, 시무외수진언, 백련화수진언, 보경수진언〉
38.7cm / 30.3cm × 5 자지, 금분, 녹교, 명반

* 〈관세음보살42수진언〉은 인간이 살아가면서 맞닥뜨리는 모든 어려움을 슬기롭게 극복하고 불교적인 관점에서 올바른 이상적인 성취를 이루는 각각의 세분화된 내용으로 구성되어 있다. 이 중 5가지를 선택하여 각기 테두리 결계 장엄을 달리 하여 구성한 작품이다. 내용은 인간이 가장 우선적으로 원하는 부(재물), 영전(성공, 권력), 평온(심신의 행복), 공덕(지혜와 자비의 구현), 학문(명예)의 성취다.

자녀출산성취진언

옴 바나맘

미라야 사바하

학업성취진언

옴 아하라 살바미냐

다라 보니뎨 사바하

부귀영화 성취진언

옴 바아라

바다라 훔 바탁

취업영전 성취진언

옴 아자미례 사바하

극락왕생 성취진언

옴 기리기리 바아라

불 반다 훔 바탁

가정화목 성취진언

옴 아례 삼만염 사바하

신심이 있어 수지·독송하고 이를 *사경하거나 남으로 하여금 사경을 하도록 하며, 경전에 꽃과 향과 말향 뿌리고 須曼·瞻蔔과 阿提目多伽의 기름을 늘 태워서 이리 공양하는 자는 무량공덕 얻으리니 하늘이 가없는 것과 같이 그 복 또한 그와 같으리라.*

〈법화경 분별공덕품〉

수보리여. 어떤 선남자·선녀인이 아침에 항하수의 모래알처럼 많은 몸으로 보시하고, 낮에도 역시 항하수의 모래알처럼 많은 몸으로 보시하고, 저녁에도 역시 항하수의 모래알처럼 많은 몸을 보시한다고 하자. 이같이 한량없는 백천만억 겁 동안 보시할지라도, 어떤 사람 하나가 이 경전을 보고 믿는 마음으로 거스르지 않으면, 이 복덕이 앞서 말한 사람의 복덕보다 나을 것이니라. 하물며 이 경을 사경하고, 수지독송하고, 다른 사람을 위해 일러주는 사람에게 있어서랴.

〈금강경〉

....

스님의 크나큰 원력에 힘입어 이번에 『화장華藏』이라는 이름으로 5권의 사경 교본을 발행하게 되었습니다. 더군다나 〈화엄경 보현행원품〉·〈화엄경약찬게〉·〈화엄경 정행품〉, 이와는 성격이 다른 〈관세음보살42수진언〉·〈무구정광대다라니경〉을 함께 묶음을 흔쾌히 허락하셨습니다. 이는 원융무애의 화엄사상의 반영과 실천으로 여겨집니다.

〈관세음보살42수진언〉은 사성을 완료했을 때부터 많은 사부대중으로부터 사경 교본으로의 발행을 권유받아 왔습니다. 근기가 서로 다른 중생들이 자신의 근기에 가장 적합한 현실적인 진언을 선택하여 사경 기도를 할 수 있도록 구성되어 있기 때문입니다. 또한 전통사경의 선긋기부터 제불보살님의 수인·지물·한자·한글서예를 함께 학습할 수 있도록 구성되어 있으니 사경 초학자들에게는 가장 효과적인 체본의 역할을 할 수 있기 때문이기도 합니다. 그렇지만 단행본으로의 발행이 실행에 옮겨지지 않아 안타까움이 컸습니다. 약 20년이란 세월이 흐른 지금에 이르러서야 시절인연이 닿아 단행본으로 출간할 수 있게 됨에 무한 감사드립니다. 더하여 세계 문명사·문화사뿐만 아니라 우리나라 사경의 역사에서 매우 중요한 위치를 점하고 있는 통일신라시대의 조탑소의경전인 〈무구정광대다라니경〉까지 함께 한 세트로 발행하게 되었으니, 이 시대 사경 사업의 큰 족적이 되리라 확신합니다.

이 사경 교재 발간을 기획하고 많은 고견을 주신 교무국장 덕흥 스님, 화엄선재불교사회연구소 허 권 소장님과 화엄사성보박물관 강선정 학예연구사님을 비롯한 모든 관계자님들께 깊이 감사드립니다.

아무쪼록 이 5권의 사경 교재가 사경과 인연을 맺어 무량공덕을 쌓으시는 모든 사경수행자님들께 조금이라도 도움이 되고, 시방제불보살님의 무한 가피 속에 사경 정진할 수 있게 되길 일심으로 기원합니다.

2020년 2월   화엄사 전통사경원장   다길 김경호 두손모음

『華藏』을 엮으며

세존이시여, 제가 이 경전을 받아 지니고 읽고 외우며 다른 사람들에게도 밝혀 설하겠사오며 제가 사경하고 다른 사람들에게도 사경하기를 권하며 공경하고 존중하면서 갖가지 향기로운 꽃과 도향·가루향·말향·소향이며 꽃다발·영락·번기·일산·풍악 등으로 공양하겠습니다. 그리고 5색의 비단 주머니에 싸서 정결한 곳에 마련된 높은 자리에 모시고 사천왕과 그 권속 및 한량없는 백천의 천신들과 함께 사경이 봉안된 곳에 나아가 공양하고 수호하겠나이다.

〈약사유리광칠불공덕본원경〉

또 어떤 사람이 깊은 신심으로 이 열 가지 원을 받아 지녀 읽고 외우거나 한 게송만이라도 사경한다면, 무간지옥에 떨어질 죄이라도 즉시 소멸되고 이 세상에서 받은 몸과 마음의 모든 병과 모든 고뇌와 아주 작은 악업까지라도 모두 다 소멸될 것이다.

〈화엄경 보현행원품〉

....

희유하고 희유한 선근인연입니다.

사경을 시작한 지 45년의 세월이 흘렀고, 전통사경을 개척하여 부활시키겠다는 서원을 세우고 사경 전문 전업작가로 전환하여 정진하는 한편으로는 제자들을 양성해 온 지 어느새 25년이 되어갑니다.
지난 25년의 세월 동안 전통사경의 계승과 발전을 위해 앞만 보고 달려왔습니다. 사경 발전을 위하여 저를 필요로 하는 곳이라면 국내외를 마다하지 않고 달려갔으며, 부족하지만 제가 할 수 있는 최선의 노력을 다하고자 했습니다.
현실적으로 여러 한계에 직면하여 좌절할 때마다 큰 스승님들과 후원자님들의 격려에 힘입어 일어서기를 반복해 왔습니다. 그리하여 지금까지 사경을 지속하고 있음은 오로지 불보살님의 크나큰 가피와 사경의 공덕 덕택입니다.

모든 일은 밝은 혜안과 굳은 서원을 지닌 선지식과 시절 인연이 무르익어야만 원만한 성취를 이루는 법임을 생각할 때, 화엄사 덕문 주지스님과의 선근인연은 과거생 여러 겁 사경 인연의 결과로 여겨집니다.

20여 년 전부터 제가 사성한 모든 전통사경 작품은 교본으로의 발행을 기원하면서 제작해 왔습니다만 지금의 시점에서 볼 때 부족함이 전혀 없는 것은 아닙니다. 그렇지만 당시에는 부족한대로 최선을 다했던 작품들입니다. 그렇기에 2014년부터는 어렵게 한 권씩 전통사경 교본 시리즈로 발행을 시작했으며 2017년 5권까지 발행한 이후 3년간 중단되었습니다.
시방삼세 제불보살님들께서 이를 매우 안타깝게 여기신 것 같습니다. 하여 덕문스님같이 전통사경 복원과 부활에 굳은 원력을 지니신 선지식과 선근인연을 맺어 주신 것 같습니다. 더하여 덕문스님께서는 고려시대 이후 700년 동안 단절되었던 사경원의 전통을 잇는 전통사경원을 개설하시면서 저에게 여법한 지도를 요청하시어 21C 한국 사경문화예술 부흥을 선도하심 또한 그러한 가피의 일환으로 여겨집니다.

□ 일러두기

– 이 책은 저자의 『자지금니〈관세음보살42수진언〉』을 저본으로 하여 제작되었습니다.

– 제1부는 작품을 약간 축소한 원본이고, 제2부는 따라서 쓰고 그려보는 페이지입니다.

– 제1부와 제2부의 사성기 모두 저자의 작품 그대로를 제시하였으므로, 사경의 사성일과 서명부분은
  사경수행자님의 발원과 서명으로 바꿔 서사하시길 바랍니다.

– 〈관세음보살42수진언〉을 응용한 사경 작품을 제작하는 데 도움이 될 수 있도록 저자의 응용사경작품
  (p.56, p.57, p.106~p.109)을 수록, 제시하였습니다.

– 사경의 개론에 대한 보다 자세한 이론은 저자의 『韓國의 寫經』을 참고하시길 바랍니다.

– 사경 수행법의 보다 자세한 내용은 『수행법 연구』(조계종출판사)를 참고하시길 바랍니다.

– 자세한 경문 서체 학습을 원하시는 분은 저자의 전통사경 교본시리즈 1~4, 〈한글 반야심경〉·
  〈한문 반야심경〉·〈한글 법성게〉·〈한문 법성게〉의 서체 분석을 참고하시길 바랍니다.

다길 김경호 쓴 전통사경 4

관세음보살 42수진언

1판 1쇄 인쇄 ∣ 2020년 2월 28일
1판 1쇄 발행 ∣ 2020년 2월 28일

발 행 인 ∣ 대한불교조계종제19교구본사 주지 초암 덕문
저　　자 ∣ 다길 김경호
기　　획 ∣ 화엄선재불교연구소 허 권, 김관태, 강선정
펴 낸 곳 ∣ 한국전통사경연구원, 지리산 대 화엄사

제 작 처 ∣ 한국전통사경연구원
출판등록 ∣ 2013년 10월 7일, 제25100-2013-000075호
주　　소 ∣ 03702 서울 서대문구 증가로 35-9, 202호 (연희동)
전　　화 ∣ 02-335-2186, 010-4207-7186
E-mail ∣ kikyeoho@hanmail.net
블 로 그 ∣ blog.naver.com/eksrnswkths

ⓒ Kim Kyeong Ho, 2020

ISBN 979-11-87931-06-5

값 30,000원